KB017996

미쓰 홍당무 각본집

감독의 말

개봉 당시 여러 매체의 인터뷰를 통해서 '양미숙에게 현대인의 모든 질병을 다 넣었다'고 말했습니다. 그리고 '세상의 모든 양미숙에게 혼자가 아니라고 말하고 싶었다'고도 말했지요. 이제 와 돌이켜보니 그때의 인터뷰 내용이 결코 거짓말은 아니었지만 제가 열심히 외면해온 사실이 한 가지 빠져있습니다.

시간을 보내면서 다양한 사람들을 만나게 되고 여러 가지 사회적 언어와 행동들을 배우게 됩니다. 새로운 방식을 깨달을 때마다 지난 내 모습이 부끄럽고 후회되더군요. 때로는 오해를 받아 생긴 억울한 마음을 상처로 품고 있기도 했습니다.

이 각본을 쓰던 즈음이 그랬던 것 같습니다. 오래전 일이라도 나 때문에 불편하고 기분 나빴을 사람들에게 이 영화를 보여주고 싶었던 것 같습니다. '내가 그때는 몰라서 그랬는데 이젠 알아. 그러니까 나를 받아줘…' 라고 말이죠. 그리고 지나간 일이지만 억울한 마음이 들 때는 소리 내어 말하고 싶었습니다. '나에 대해서 잘 알지도 못하면서 아는 척 하지 마!'

뭘 그렇게 열심히 자기 고백을 했을까 싶기도 한데 첫 작품이라서 가능했던 것 같습니다. 다시는 이렇게 못 할 것 같아요.

박찬욱 감독님, 박은교 작가와 함께 신나게 썼던 그 시간이 참 좋았습니다. 특히 박은교 작가와는 각자 인물을 맡아서 대사를 소리 내어 읽어보고, 지문에 적힌 몸짓까지 서로 흉내를 내면서 같이 썼지요. 밤새 각본을 완성한 뒤 프린트 하면서 둘이서 장난삼아 어느 영화제 수상소감을 연습하기도 했습니다. 나중에 진짜 상을 받게 될 줄은 꿈에도 몰랐지만 아마도 우리 둘 다 이 각본에 자신이 있었던 것 같습니다.

제작자이신 박찬욱 감독님 덕분에 ‹미쓰 홍당무›가 12년 만에 다시 세상 밖으로 나옵니다. 제가 운이 좋아서 정말 멋진 제작자를 만났습니다.

말이 나왔으니 말인데 한 가지 부탁이 있습니다.
저는 이 영화의 제목이 참 좋습니다.

부디 '미쓰'를 꼭 기억해주세요. '미스'는 재미없잖아요.
생긴 모양도 그렇고 발음도 그렇고.

2020. 07. 27
필수 그리고 몽키, 미슈까와 함께,
이경미 드림.

차례

part 1

미쓰 홍당무 각본

이경미
박은교
박찬욱

1
고속버스 안(오후): 대 미래

달리는 고속버스 안. **양미숙(29.여)**, 버스 창에 머리를 기댄 채 정신없이 졸고 있다. 여고생들의 까르르. 웃는 소리와 함께 화면, 페이드아웃.

2
초원(오후): 미숙의 10년 전 과거

팔짱을 꼭 낀 채 4열 횡대로 선 여고생들. 복장을 보아하니 졸업여행 온 듯하다. 그들 뒤편, 맨 뒷줄에 성난 곱슬머리의 19살 미숙, 쪼그려 앉아있다. 사진사의 카운트를 외치는 소리가 들린다.

사진사 목소리

하나, 둘, 셋!

사진사의 셋! 하는 소리와 함께 개구리 점프하듯 폴짝! 놀라운 도약이다. 정지 화면. 일렬로 선 여고생들 머리 위로 솟아오른 미숙의 뒤틀려진 얼굴. 그 위로 미숙의 목소리 들린다.

미숙의 목소리

(매우 공격적)

너 왜 그랬어?

3
원성여중·고 운동장 옆(오후)

원불교 사립 중. 고등학교 청소 시간, 시끌벅적하다. 운동장 계단 옆 축대 한구석, 열심히 구덩이를 파고 있는 미숙이 보인다. 죽어라 삽질하며 또박또박 말을 이어 가는 미숙.

미숙

… 하고 물어봤을 때 "몰라, 그냥 한 건데?"라고 대답할 때는요.
그 사람이 정말 생각 없이 그 행동을 했던 게 아니라, 지금 생각 없이
대답하고 있다는 뜻이에요!

구덩이 밖, **서종철(37.남)**, 멀뚱히 서서 삽질 중인 미숙을 보고 있다.
미숙의 구덩이, 어느새 종아리가 잠길 만큼 꽤 깊어져 버렸다.

미숙

모든 행동에는 이유가 있잖아요, 선생님.
제가 이렇게 쓸데없이 삽질을 하는 이유는요, 학교 사람들 눈이 있기 때문이구요.

미숙, 저 건너 계단 쪽을 슬쩍 흘겨본다. 운동장 계단, 학생들과 청소 중인 **이유리(26.여)**가 보인다. 유리, 짧고 날카로운 시선으로 두 사람을 착-째려본다. 서 선생, 그런 유리가 영 신경 쓰이는 듯.

미숙

이런 위험을 무릅쓰고, 선생님께서 여기 와 계신 이유는요,
우리가 '위험을 무릅쓴 관계' 라는 사실을 선생님도 인정하시기 때문이에요!

유리를 보던 서 선생, 흠칫. 다시 미숙에게로 시선 돌린다. 이때, 서 선생의 핸드폰, 진동한다. 서 선생, 발신자 확인하더니 망설인다.

미숙

그럼에도 불구하고, 지금 제 질문에 "그냥" 이라고 대답하신 걸 봐서는,
선생님 마음이 정말 복잡하고 힘드시다는 증거죠.
(삽질을 멈추고 가슴에 손을 얹으며)
… 제 마음도 같아요, 선생님.
그러니까, 모른다 마시고 사실대로 말씀해 주세요.

고개 착. 들더니 서 선생을 향해 몰아친다.

미숙

오늘 오전 9시12분에, 제가 음성 메세지 남겼잖아요.
바로 2분 후인 오전 9시 14분에, 제 음성을 확인 하셨더라구요?

서 선생

(지친 한숨)
그걸 니가 어떻게?

미숙, 씨익- 미소 지으며 자신의 핸드폰을 들어 보인다.

미숙

수신자가 제 음성 메세지 들으면,
바로 확인 문자 오거든요.

미숙의 핸드폰 액정에 적힌 타이틀 문구.

공격이 최선의 방어다

미숙, 부끄러운 듯 살짝 몸을 틀더니 더 열심히 삽질을 시작한다. 서 선생, 한숨 푹-. 계속 울리던 핸드폰을 고개 돌려받는다.

서 선생

어, 여보!

미숙

(온 힘으로 삽질하며)
그러니까, 선생님은 오전 9시12분에
제 전화를 그. 냥. 못 받은 게 아니라 일부러 안 받았거나,
적어도 9시 14분부터는 알아도 모른 척 하시는 게 맞는 거죠?

통화 중인 서 선생, 구덩이에서 멀어진다. 그 상황도 모르는 미숙, 서 선생의 대답이 없자 표정 밝아진다. 저 혼자 신나서 연신 삽을 내리 꽂으며,

미숙

거어~봐! 거봐!
지금, 선생님은, 마음이 너무 복잡하고 너무 힘드신 거예요, 저 때문에!
(수줍은 미소)
괜찮아요! 제가 기다릴게요!

미숙, 이번엔 실컷 파 놓은 구덩이를 도로 메우기 시작한다. 땀에 젖어 심하게 꼬불거리는 미숙의 성난 곱슬머리. 서 선생, 건물 너머로 사라지고 없다. 번잡한 청소 시간의 풍경 속, 삽질하는 미숙이 조그맣게 보인다.

서종철 핸드폰 음성 사서함

x월 xx일 오전 9시 12분, 양. 미. 숙. 님이 남기신 메시지입니다. 삐-
방금 일부러 저 피하신 거 맞죠?
… 그냥, 아플 때는 아파하고 그리울 때는 그리워하면서 살아요, 우리!

4
진료실(오후)

새빨개진 얼굴의 미숙, 수심 가득하다. 핸드폰을 계속 만지작대는데 보기에도 매우 불안정하다.

미숙

왜 자꾸 내 전화를 씹을까… 생각해봤는데요, 선생님.

30대 후반의 남자 의사, 심각한 얼굴로 그런 미숙을 관찰하는 중. 미숙, 아랫입술을 깨문다. 아련한 표정 떠오른다.

미숙

그분이… 절 너무 많이 사랑하게 돼 버려서 힘든가 봐요.
… 왜 영화 같은 데서도 보면요,
남자가 사랑하는 여자 때문에 힘들면, 괜히 막 사창가 같은데 가구
그러잖아요…

미숙, 가방에서 주섬주섬 책을 꺼내 보인다. ‹지구에서 가장 특이한 종족— 남자› ‹그 남자에게 전화하지 마라› ‹화성에서 온 남자, 금성에서 온 여자› 등등… 하도 많이 읽어 모든 책장이 너덜너덜하다.

미숙

남자는 가끔 자기만의 동굴 속으로 들어가고 싶어 하는데요,
그럴 때, 여자는 그냥 묵묵히 기다려줘야 한대요.

어느새 눈물 그렁. 한 맺힌 토로를 시작한다.

미숙

그래서, 저도 그렇게 해보려고 노력 많이 했거든요?
근데, 너무 걱정이 되는 게요,
저는 일. 부. 러. 전화 안 하는 건데,
그분은 제가 그. 냥. 안 하는 거라고 생각해버리면 어떡해요?
(어린아이마냥 울먹이느라 숨도 고르지 못하며)
그렇다고, 제가 자꾸 전화해서, 일부러 전화 안 하는 거라고 말하면,
그건 묵묵히 기다려주는 게 아니잖아요.
그래서, 다시 생각해봤는데요.
(잠시 망설이다가 조심스레)

… 제가 전화도 안 하면서,
묵묵히 기다릴 수 있는 방법을 찾았어요, 선생님.

5
벨리 댄스 학원 연습실(저녁): 과거

수강생들 앞에서 벨리 댄스 시범을 보이고 있는 **성은교(45.여)**, 새치로 하얀 머리, 볼륨 있는 몸매, 우아하다. 벨리 댄스 복장의 미숙, 접수실에서 난 작은 창을 통해 연습실 안, 은교를 훔쳐본다. 영 자신 없는 표정, 침울하다.

미숙 목소리
그이 와이프는요, 딱 보니까 폐경기 지난 게!
… 일단 나랑 게임이 안 돼요.

6
원성여중·고 교무실(밤): 과거

어두컴컴하다. 잠옷 바람의 미숙, 컴퓨터 모니터를 들여다보고 있다.
모니터, 서종희의 생활기록부가 떠 있다.

이름: 서종희 — 1992년 8월 15일 생
부: 서종철(직업: 원성여고 국어교사)
모: 성은교(직업: 몽촌토성 벨리 댄스 학원 운영)
행실평가: 자기애(愛)가 지나침.

증명사진 속 종희, 예쁜 척한다.

7
원성여중·고 교문(오전): 과거

하나의 교문을 사용하는 원성여중·고. 교문에서부터 홍해 갈라지듯
양 쪽으로 나눠지는 중. 고등학생들. 핸드폰을 손에 꼭 쥔 채, 중학생 복장
검사 중인 미숙, 관심은 온통 맞은편에 쏠려 있다. 미숙의 맞은편, 중학생
서종희(15.여), 고등학교 선생인 이유리 앞에 우뚝 서 미동도 없다.
유리 선생을 잡아먹을 듯이 노려보는 종희의 눈빛, 살의가 돈다.

미숙 목소리

걔는 지 아빠 반만이라도 닮지, 좀 싸가지 없긴 한데,

유리

중학생은 저쪽이야, 얘!
근데, 너 복장이 이게 뭐야? 명찰, 뱃지 다 없네?

미숙

그 학생은 우리 꺼예요! 유리 선생이 왜 참견이에요?

미숙 목소리

그래두, 내 남친 딸이라서 잘해주고 싶은 맘, 이해하시죠?

어느새 시뻘게진 미숙, 맞은편에서 유리를 노려보고 있다. 유리, 어처구니없다. 두 주먹 불끈 쥔 종희, 한 대 칠 기세로 유리에게 다가선다.

종희

그러는 너. 는, 복장이 이게 뭐냐?

유리

(애써 겁먹지 않은 척)
어디 중학생이 고등학교 선생님한테!

미숙

유리 선생님이야말로 고등학교 주제에
중학생한테 이래도 되는 거예요?!

두 주먹 불끈 쥐고 우뚝 선 미숙, 사악한 미소 떠오른다.

미숙 목소리

유리 선생 같은 사람은 좀 당해도 싸요!

8

원성여고 교실(오후): 과거

미숙 목소리

원래 우리 둘 다 고등학교에서 러시아어 가르쳤었거든요.

유리, 칠판에 러시아어 문장을 적으면서 읽고 있다.

유리

븨 싸믜에 뽀뿌랄니에 브 나쉐이 슈꼴레!

문장 마지막에 느낌표 찍고 돌아선다. 의미심장한 미소 지으며,

유리

12번!

12번 학생

(벌떡 일어나)
우리 학교에서는 당신이 제일 인기가 많습니다!

9
원성여고 회의실(저녁): 과거

테이블 상단, 엄숙하게 앉은 여자 교무. 테이블 좌, 우로 미숙과 유리가 앉아있다.

여자 교무

이제, 러시아어는 완전히 인기가 없습니다.

미숙과 유리, 동시에 고개 숙인다.

10
원성여고 교실(오후): 과거

칠판에 나란히 선 다섯 명의 여고생들, 각자 자기 칸에 러시아어 문장을 쓰고 있다. 그 가운데 한 학생, 장난기 가득한 얼굴로 아이들을 뒤돌아보며 문장을 쓰고 있다. 반 아이들의 키득대는 소리. 미숙, 칠판을 등 진 채, 분단 사이를 걸으며 열변을 토하고 있다.

미숙

누가 우리 러시아어는 인기 없대?! 누가!
이게 다 가난한 나라는 무시해도 된다는 천민자본주의 속성인 거야. 이게!

2014년 소치 동계올림픽! 가난한 나라가 어떻게 동계올림픽을
유치하겠어? 러시아가 지금 세계 3위 외화 보유국으로 급부상한 거
알아, 몰라! 러시아어가 왜 인기가 없어, 왜?!

칠판 앞의 아이들 하나둘씩 자리로 돌아간다. 아이들의 웅성거림, 점점 커진다. 미숙, 걸음을 멈추고 뒤돌아본다. 아이들, 미숙을 힐끔대며 키득거린다. 칠판에 적힌 문장을 본 미숙, 표정 굳는다.

Ты не самая популярная в нашейшколе!
(자막: 우리 학교에서는 당신이 인기 없습니다!)

11
원성여고 회의실(저녁): 과거

여자 교무
그래서, 두 분 중 한 선생님은 중학교로 내려가셔야 될 상황인데…

유리, 방긋- 웃으며 여자 교무에게 감사의 인사를 한다. 어느새 시뻘게진 미숙, 그런 유리를 노려보고 있다.

미숙 목소리
(몸서리친다)
정말 진짜 너무 싫어요, 이유리 같은 인간!

12
원성여중 '매화 반' 교실(오전): 과거

교단에 선 미숙, 시뻘게져 있다. 미숙 등 뒤 칠판, YANG ME SOOK 이라고 크게 쓰여 있다. 미숙의 손, 부르르. 중학교 영어 교과서를 꼭 쥐어본다.

미숙
(개미 목소리. 발음 안 좋다)
나이스 뚜 밑 쮸

여중생들, 일제히 한숨과 함께 책을 덮어버리며 자세 흐트러진다. 미숙의 겁먹은 얼굴, 점점 더 붉어진다.

40대 직장인 목소리

What subjects are you teaching in school, now?

(자막: 당신은 학교에서 어떤 과목을 가르치고 계십니까?)

13
종로 영어 학원(이른 새벽): 과거

네이티브 흑인 영어 선생과 수강생들, 둥그렇게 원을 만들어 앉아 있다. 그 중, 미숙도 보인다. 미숙, 한 40대 직장인과 마주 앉은 형국.

네이티브 영어 선생

(능숙한 한국어 발음으로)

다시 한 번!

40대 직장인

What subjects are you…

미숙

(직장인의 질문을 끊는다. 의심 가득한 협박)

당신 누구야?

직장인을 비롯한 일동, 당황한다. 붉어진 얼굴의 미숙, 분노에 찬 버럭!

미숙

내가 뭐?!

네이티브 영어 선생

(미숙을 진정시키며)

그러니까, 당신은 학교에서 무슨 과목을 가르치냐구요…?

14
원성여중·고 교문(오전): 과거

씬 7 연결. 유리를 노려보던 미숙, 화다닥. 유리와 대치중인 종희를 끌고 나오며 진심을 다해 훈육(?)하기 시작한다.

미숙

착하게 살지 마라. 그럼, 사람들이 너한테 못되게 군다!
근데, 니가 못되게 굴잖아? 그럼, 너한테 착하게 굴어!

미숙, 걸음 멈춘다. 두 손으로 종희의 어깨를 잡고 흔들며,

미숙

(한 맺힌)
그리고 너, 아무것도 열심히 하지 마! 열심히 해봤자, 너만 손해야!

종희, 갑자기 울음을 터뜨린다. 당황한 미숙, 종희를 어르며,

미숙

어머, 야! 괜찮아, 괜찮아… 지금이라도 요령껏 살면 돼!

종희, 갑자기 홱. 뒤돌아 유리를 째려보며 혼잣말,

종희

나쁜… 년…

멀뚱하게 선 유리, 억울하다. 바람, 휭. 불어지나간다.

15
진료실(오후)

시뻘건 얼굴의 미숙, 핸드폰을 꼭- 쥔 채 깊은 생각에 잠겨 있다. 드디어, 침묵을 깨고,

미숙

근데요, 선생님… 생각하면 생각할수록 이상한 게,
서종희 걔는… 굳이 유리 선생한테, 왜 그랬을까요?
… 좀 이상하지 않아요?
(고개 갸우뚱)
… 말하다 보니까 더 이상해지네?

의사

… 그런 얘길 왜 제게…

미숙

(의사를 째려본다)
그럼, 제가 누구한테 말해요?

의사의 가슴팍에 달린 명찰, "피부과 전문의 박찬욱" 의사(39.남), 지친 한숨을 내쉰다. 미숙, 시뻘건 얼굴을 두 손으로 감싸 쥐며, 절절하게 토로한다.

미숙

제가요, 중학교로 내려온 뒤부터는 이게 더 심해지니까…
일단은, 다각적인 측면으로 다 말씀드리는 거예요, 선생님…

의사

양미숙씨처럼 시술 후에도 호전되지 않는 경우가 더러 있어요.

미숙

그럼, 약물치료는요?

의사

약물치료도 괜히 비싸기만 하고 별 소용없어요.
그냥, 소금물에 족욕 자주 하시고, 평소에 마음을 편안하게,

미숙

(겁먹은 얼굴로 버럭 화낸다)
겪어보지도 않고, 아는 척 하지 마!

진료실 문, 벌컥. 열리며 간호사, 황급히 들어온다.

간호사

선생님, 괜찮으세요?

여자 교무 목소리

전신에 힘을 완전히 빼시고 의식과 호흡을 단전에 모읍니다.

16
원성여중 교실(이른 아침)

여자 교무, tv를 통해 ‹명상의 시간›을 진행 중이다. tv 옆엔 반장이 서 있고, 학생들은 모두 명상 중이다.

여자 교무

들숨은 천천히 단전까지 깊게, 날숨은 조금 짧고 약하게.
편안해진 호흡으로 내 마음을 바라다봅니다.

17
원성여중·고 교무실(이른 아침)

쪽진 머리에 무채색 한복을 입은 여자 교무, 마이크를 통해 ‹명상의 시간›을 진행 중이고, 방송 반 학생들, 촬영 중이다. 교사들, 모두 자리에 앉아 깊은 명상 중인데 미숙, 혼자 두 눈 부릅뜬 채 뒷자리 교사만 뚫어지게 보고 있다.

여자 교무

원래 어리석음이 없는 고요하고 편안한 내 마음을 바라다봅니다.
바쁜 일상 속, 한 번 쯤 멈춰서서 자기의 마음을 들여다보는 일은
작지만 큰 여유를 가져다줍니다.

명상 중이던 뒷자리 교사, 미숙의 시선을 느꼈는지 한 쪽 눈만 뜨고 미숙을 본다. 미숙, 드디어 말을 건다.

미숙

도대체, 무슨 생각으로 명상을 해요?

뒷자리 교사, 뜨악- 미숙, 경멸 가득한 눈초리로 교사를 훑어보며,

미숙

하란다고 그걸 다 해요?!

명상 중이던 교사들, 일제히 고개 돌려 미숙을 노려본다.

18
원성여중·고 밖(이른 아침)

원성여중. 고 전경. 학교 옆에는 운전면허 시험장이 위치해 있다. 학교에서는 장외로 방송되는 ‹명상의 시간›이, 면허시험장에서는 불합격을 알리는 방송이 들린다. 각 장소에서 나는 방송 소리, 마치 서로 경쟁이라도 하는 듯.

교무 목소리

여러분은 이런 여유를 놓치지 마시고 명상의 시간을 통해 챙겨보십시오.
지금 이 순간처럼 편안한 마음으로 아침을 맞이하시기 바랍니다.

운전면허시험장에서 들려오는 소리

2171번, 불합격입니다! 2171번 내려오세요! 2171번!

19
원성여중·고 밖(밤)

명상의 시간 방송도, 운전면허장에서 나오는 소음도 잠잠해진 밤의 원성여중·고 의 전경.

20
원성여중·고 교무실(밤)

어두컴컴한 교무실. 미숙의 전화 통화 소리, 들린다. 교무실 한구석, 간이침대가 펼쳐져 있고 머리맡에는 큰 거울이 놓여 있다. 잠옷 바람의 미숙, 고주파 기계로 안면 마사지를 하며 핸즈프리 통화 중이다.

미숙

(어색하게 혀를 꼬아가며)
이건 비밀인데요, 나는… 교무실에서 맨날 혼자 자는 거예요.
남들처럼 살다간 언제 돈 모아서 내 집 장만하겠어요?
근데요… 나는 지금 너무 취해서 교무실까지 혼자 못 가는 거예요.

미숙의 거울 프레임 상단 귀퉁이, 미숙의 10년 전 졸업여행 단체 사진이 붙어 있다. 특이하게도 세로다. 거울에 붙은 미숙의 경구, 사진 때문에 가려져

일부만 보인다. ‹… 목을 매겠다›

사진 속, 당시 담임이었던 맨 앞줄의 젊은 서 선생, 뒤돌아보고 있다. 그의 시선이 닿는 대열 맨 뒷줄, 19살 미숙의 얼굴이 툭 튀어 올라와 있다. 사진 찍히는 순간 고의로 점프한 듯. 보기 흉하다. 미숙, 사진 속 자신의 얼굴을 손가락으로 막 문지른다.

21
서 선생의 방(저녁)

제3세계 음악이 흐른다. 문학 서적들로 빈틈없는 책장, ‹고도를 기다리며›가 예닐곱 권 나란히 꽂혀있다. 컴퓨터 모니터, ‹S. J 의 월드뮤직› 음악 방송 사이트가 열려 있고, "ON AIR"가 깜빡인다. 통화 중인 서 선생.

서 선생

(피곤한 한 숨을 푹- 내쉬며)
그래서, 지금 어디 있니?

이때, 벌컥. 방문 열리는 소리. 서 선생, 반사적으로 고개 돌린다. 방 안으로 들어선 은교, 문 앞에 쌓인 씨디 더미를 건드린다. 씨디 더미, 와장창창- 끝도 없이 쓰러진다. 화면, 페이드아웃.

미숙 목소리

… 여기가요… 그때 거기… 기억하세요오?

화면, 페이드인. 앉은 서 선생. 옆에 선 은교. 마주 보고 있는 두 사람. 분위기, 심상치 않다.

22
원성여중·고 교무실(밤)

미숙, 혼자 팩. 토라지며 언성 높인다.

미숙

재재재작년 연말에 회식했던 고깃집이요!!

미숙, 얼른 핸드폰을 닫더니 거울을 보며 씩- 예쁜 미소 짓는다.

23
서 선생의 방(저녁)

은교

나 이달 말에 터키 간다.

잔잔하게 흐르던 음악, 뚝. 끊긴다. 서 선생, 헤드폰을 써 버린다.

24
고깃집 밖 계단 앞(밤)

한 손에 핸드폰을 꼭 쥔 채, 계단에 주저앉아 있는 미숙. 어라? 다른 쪽 계단으로 올라오는 유리가 보인다. 미숙, 지레 뭐 들킨 양, 등 돌리고 앉아 미동도 않는다. 두리번거리던 유리, 계단에 쭈그려 앉은 미숙을 발견한다.

유리

양 선생님!

미숙

(유리의 말이 떨어지기 무섭게 홱 째려보며)
왜요!

유리

저기… 서 선생님은 집안에 일이 좀 생기셔서… 제가 대신 왔어요.

뭐라? 미숙, 갑자기 두 눈 희번덕, 고개를 스르르 돌리며,

미숙

… 둘이, 전… 화… 통화하는 사이에요?!

유리, 사연 가득한 표정 짓더니 갑자기 풀썩, 주저앉아 미숙의 등에 얼굴을 묻는다.

유리

실은… 저… 요즘 힘들어요.
(긴 한숨 푹-)

미숙

?!!!

유리

(외로움이 잔뜩 묻어나는)
저기… 양 선생님하고 둘만 있을 때는, 언니라고 불러도 돼요?

집시 아이들의 합창이 터져 나온다. 거의 발악에 가깝다.

25
원성여중·고 교무실(밤)

어두컴컴한 교무실, 미숙의 책상에만 스탠드 켜져 있다. 미숙의 모니터, ‹S. J 의 월드뮤직› 사이트가 열려 있고 제3세계 음악이 흐르고 있다. 모니터 앞에 앉은 유리, 애수에 잠겨있고, 멀찍이 간이침대에 앉은 미숙, 애써 태연한 척 유리 눈치만 보고 있다.

유리

서 선생님 월드 뮤직 방송, 은근히 인기 많아요.
몰랐죠, 언니?
(아련하게)
이건 내가 좋아하는 음악인데…

서 선생의 음악 설명, 유리의 말과 토씨 하나 틀리지 않고 동시에 터져 나온다.

유리, 서 선생 목소리

중반부에 나오는 어린 집시들의 합창 부분이 인상 깊은데,
특히, 피아노 연주라서 더 신선하죠?

완벽한 혼성 화음! 유리, 어머나! 입을 막으며 스피커 볼륨, 확! 줄여버린다. 살벌한 고요. 시뻘건 미숙, 망부석마냥 미동도 없다. 유리, 표정 어두워지며, 한숨 푹-.

유리

우리는… 자꾸 이래요.

미숙

(쏘아붙인다)

우~리?

유리, 고개 푹 숙인다. 미숙, 애써 침착한 척, 유리의 두 팔을 덥석 붙잡는다.

미숙

지금부터 내 말 잘 들어요, 유리 선생!
사람이 원래 누구 좋아하기 시작하면요, 그 사람이 내 옷깃만 스쳐도,
(유리의 '완전 착한' 말투를 흉내 내며)
"어머, 저쪽으로 가도 되는데, 구태여 일루 지나가네? 나 때문에?"
이렇게 생각할 수밖에 없죠, 사람이니까.
(엄청난 비밀을 말해주듯)
근데, 사실 남자는 '그냥' 이야!
뭐든 '그냥'! 아무 이유 없어!
꼭 멍청한 여자들이 그런 거 헷갈려 가지고 죽네 마네 한다니까?

유리

세상에 그런 여자가 어디 있어요, 언니.

미숙, 유리의 두 손을 꼭 잡더니, 간절하게 설득하기 시작한다.

미숙

내가 그 인간을 잘 알잖아… 상대방 배려하는 방식이 얼마나,

유리

(표정 어두워지며 중얼댄다)

자기중심적이에요, 진짜!

미숙

(유리의 등을 철썩 때리며)

그래, 바로 그 얘기야, 내 말이!

유리

자기 생각만 하고, 그렇게 해 버리면, 난 어떡하라구!…

미숙, 엥? 유리, 와락 엎드리며 울먹인다.

유리

서 선생님이 와이프랑 이혼한대요, 저 때문에!

유리, 울음을 터뜨린다. 미숙, 눈앞이 캄캄해진다. 눈물이 핑!

유리

실은, 얼마 전에 그이 와이프가 우리 집까지 찾아와서는,
서 선생님 정말 사랑하면 그냥 가지래요.
그 여자, 너무 무서운 여자예요, 언니…

유리를 바라보는 미숙, 점점 얼굴 붉어진다. 이때, 시끄럽게 울리는 유리 핸드폰. 유리, 눈물 뚝. 발신자 확인하더니 안 받는다. 미숙의 반응을 예민하게 살피며,

유리

혹시… 나 때문에 그이한테 실망했어요?
… 친한 사람한테 실망하면 너무 힘들잖아요.

미숙, 벌떡 일어나 두 주먹 불끈 쥐고는, 바락바락!

미숙

우. 리. 하나도 안. 친. 해!

유리

휴, 난 또 친한 줄 알았네…
자꾸 데려다 달라, 데려다 주라 그러니까.

유리의 핸드폰, 또 다시 울린다. 유리 흠칫.

미숙

(버럭!)
아, 전화 받아요, 사귄다면서!

유리

저기… 이건… 장 선생님인데…

미숙

장?… 체… 육 장?

체육 장의 책상 파티션 위에 놓인 이름표와 사진. "과목 – 체육. 장희영"

유리

(무척 곤란한 표정)
가끔 이렇게 밤늦게 전화 하세요.
… 저도 모르겠어요, 언니!

갑자기 열 오른 미숙, 부채질을 시작한다. 이때, 유리의 핸드폰 또 울린다. 유리, 움찔. 미숙, 애꿎은 유리 핸드폰만 노려보며, 살벌하게.

미숙

집요한 새끼…

유리

… 저기… 이건 변 선생님…

미숙

…변?

교무실 공지 게시판, ‹원성여중·고 제 100회 하나 되는 우주잔치› 의 다양한 행사 중, '변재혁 음악 선생님과 함께하는 경음악 세계!' 포스터 속, 음악 변의 사진이 보인다. 미숙, 갑자기 눈알이 빠질 듯 부릅뜨며, 벼락같은 고함!

미숙

우리 중학교 음악 변?
(유리를 위 아래로 째려보며)
웬일이니…!

미숙, 점점 눈물이 고이기 시작한다. 유리, 자책하며 괴로워한다.

유리

정말 이상한 게요, 전화가 오면 꼭 한꺼번에 몰려와요.
제가 뭘 잘못한 건지 모르겠어요, 언니

아! 그냥 이 교무실 확 불 지르고, 얘랑 같이 죽어버릴까…!

미숙, 유리를 본다. 유리, 천진난만한 얼굴로 미숙을 올려다보고 있다. '수박색 원피스' 를 입은 모습이 참 예쁘다. 미숙, 유리의 긴 생머리를 슬쩍 만져보더니 몸서리친다.

미숙

… 니가 캔디냐? 다 너만 좋아하게?

26
원성여중·고 운동장 옆(오후)

방과 후. 열심히 삽질 중인 여자가 보인다. 머리스타일은 완벽한 유리인데, 자세는 양미숙, 얼굴도 미숙이 맞다! 미숙과 무관한 듯, 딴청 부리며 주위를 맴도는 종희, 은근히 주위 눈치를 본다. 학생들, 지나가며 두 사람을 흘끔댄다. 미숙, 역시 주위 눈치를 보며 열심히 삽질한다.

미숙

니네 부모님, 이혼한다는 게 사실이냐?

종희

(움찔. 독기를 뿜는다)

… 누가 그래요?

미숙, 종희 눈치를 보며 은근하게 떠본다.

미숙

유리 선생이 비밀이라면서 얘기하더라?

그 년, 평소 진정성이 부족한 걸 봐서 나는 생각했지. 또 뻥치는구나…

종희

(주저앉으며)

나… 뻔년…

역시, 사실이구나! 억장이 무너지는 미숙, 시뻘게진 얼굴로 구덩이 안에 주저앉는다. 침묵, 흐른다.

미숙

이유리, 죽어버렸으면 좋겠다!

종희, 두 눈 반짝. 미숙, 그런 종희의 눈빛을 예리하게 캐치한다. 입을 꾹 다문 채 미숙을 뚫어지게 바라보는 종희, 무언가 말을 꺼내려다 만다. 안달이 난 미숙, 자신의 입을 철썩. 때리며,

미숙

말해, 뭐든지!

종희

엄마가요, 이달 말에 터키로 벨리 연수 가는데,
그 전에 이혼 도장 찍는대요.

사색이 된 미숙, 미친 듯이 머리를 굴린다. 한 번에 구덩이 밖으로 튀어 올라오며,

미숙

일단, 니네 엄마 '출국금지'부터 시키고, 시간을 벌어!

종희

(신경질 내며 요구한다)
그래서요, 저, 사람이 필요해요, 선생님!

27
원성여중 '매화 반' 교실(오후):
종희의 과거

'매화 반' 앞문에 붙은 공지 게시판. ‹원성여중·고 제100회 하나 되는 우주잔치›의 다양한 행사 중 "1+1=무한대야" 라는 타이틀의 '장기 자랑 대회' 참가 신청 안내문이 보인다.

"참가 자격: 2인 이상으로 구성된 팀"

투닥투닥. 책상 끌리는 소리, 고함소리가 들린다. 벌컥. 교실 앞문, 열린다. 종희, 심하게 얻어맞았는지 엉망진창 몰골에, 이마에는 커다랗고 촌스러운 리본이 둘러져 있다. 종희, 울음을 애써 참는 듯 입이 잔뜩 구겨져 개미만 한 목소리로 더듬더듬.

종희

예, 어머니. 우리 학교 축제 때 제가 공연하게 됐는데요, 어머니.
적어도 어머니는 꼭 참석해야 된대요, 어머니.
그래서요, 어머니…

종희, 이마에 둘러진 리본을 신경질적으로 벗어 던져 버린다. 열린 문밖, 똑같은 합창복을 입은 매화반 아이들, 정열하고 서서 합창공연 연습을 하고 있다. 모두, 목에 커다랗고 촌스러운 리본을 달았다.

28
원성여중·고 운동장 옆(오후)

씬 26 연결. 미숙, 표정 밝아진다. 종희의 등짝을 후려치며,

미숙

잘했다, 야! 일단, 그렇게 시간을 벌어!
적어도, 그. 년. 때문에 이혼하는 건 막아야지!

종희

(뻔뻔하게 신경질 내며)
그러니까, "무한대야" 같이 할 사람, 구해주세요, 선생님!

미숙, 움찔. 조용히 구덩이로 다시 내려가더니 종희에게 등을 보인 자세로 하던 삽질을 계속한다.

미숙

… 그런 건… 니가 구해…

종희

애들이 저랑 같이 안 할려구 해요
저한테 열등감 느끼나 봐요.

미숙

(문득 고개 갸우뚱)
근데, 니네 반은 단체로 공연하잖아?

종희, 움찔. 쓰러진다.

29
원성여중 '매화반' 교실(오후):
종희의 과거

씬 27의 전 상황. 매화반 학생들, 리본 달린 합창복을 입고 대열 맞춰 섰다. 맨 뒷줄에 선 종희. 종희가 입은 합창 복만 리본이 없다. 학생들, 무서운 얼굴로 종희를 보고 있다. 지휘자, 매화반 반장, 종희를 바라보며 가슴팍에 달린 리본을 만진다. 종희, 애써 당당한 척 개미만 한 목소리로,

종희

나는 이 리본이 심각하게 짜증나…

종희, 누구한테 밀렸는지 바로 쿵. 떨어진다. 종희, 저도 모르게,

종희

이씨, 부모님도 이혼한 주제에!

"이혼한 부모님"과 함께 사는 이십여 명의 아이들, 일제히 의자에서 내려와 종희를 덮친다.

30
원성여중·고 운동장 옆(오후)

원망스런 눈으로 미숙을 바라보던 종희, 눈시울 붉어지며, 버럭!

종희

선생님도 왕따잖아요!

미숙, 움찔. 쓰러진다.

31
원성여중 '매화 반' 교실(오전):
미숙의 과거

영어 수업 시간. 학생들, 미숙을 빤히 바라보고 있다. 시뻘건 얼굴의 미숙, 영어 교과서를 꼭. 쥐어 본다.

미숙

… 얘들아, 선생님이 첫사랑 얘기 해줄까?

학생들

아니요~!

일제히 책상에 엎드린다. 완전 무관심! 혼자 멀뚱히 앉은 종희, 주위를 둘러보더니 자기도 따라서 풀썩 엎드린다.

32

원성여중·고 운동장 옆(오후)

참담한 분위기! 시뻘게진 미숙, 핸드폰을 두 손으로 꼭- 움켜쥔다.

미숙

(저음의 카리스마)

그래, 나 영어 못한다.

종희

영어도 못하면서 수업까지 대충 한다고, 애들이 다 싫어해요!

미숙

(원망 가득한 눈으로 종희를 바라보며)

… 열심히 수업하면 애들이 싫어하는 거 아니었어?…

이미 마음 상한 종희, 벌떡 일어나 간다.

종희

솔직히, 선생님은 열심히 하든 말든 마찬가지예요.

구덩이 안, 시뻘건 미숙, 너무 수치스러워 개미가 되고 싶지만…
갑자기 구덩이 밖으로 튀어나와 한달음에 뛰어간다. 멀어지는 종희를 와락 뒤에서 껴안는 미숙.

미숙

(애절하게)

그래두, 일단 니 공연 친구는 내가 구해줄 테니까,

대신 넌, 니 아빠 감시하는 걸 도와줘.
이유리는…
(결의에 찬)
선생님이 어떻게든 해볼게!

종희, 배시시- 못 이기는 척 하다가, 문득 의심의 눈초리로,

종희
근데, 절 왜 도와주세요?

당황한 미숙, 붉어진 눈시울로 지나치게 흥분하며,

미숙
내가 러시아어를 얼마나 좋아했는데!
이유리만 없었으면, 난 지금도 저기서 러시아어 가르쳤을 거구,
그랬으면, 여기서 이렇게 애들한테 무시당하지도 않았을 거구,
… 난… 정말 행복했을 거야!

종희, 울컥. 뒤돌아 미숙을 안는다.

종희
(울컥)
고맙… 습니다… 선생님!

땅 파다 말고 부둥켜안고 있는 미숙과 종희. 두 사람을 이상하게 쳐다보는 아이들. 사실, 누가 봐도 이상하다.

33
유리의 방(이른 아침)

고급 빌라 원룸. 부스스한 몰골로 핸드폰 문자를 확인하는 유리, 표정 난감하다.

남들처럼 살다간 언제 돈 모아서 내 집 장만하겠어요. — 양미숙

유리, 뒤돌아본다. 어느새, 방구석에 자리 잡고 앉은 미숙의 뒷모습.
두 사람, 똑같은 헤어스타일로 인해 흡사 공포영화의 한 장면을 연상시킨다.

미숙의 옆, 매일 밤 그녀와 함께 했던 간이침대가 우뚝 서 있다. 미숙, 커다란 이삿짐 가방을 풀기 시작한다. 끝도 없이 꺼내져 나오는 각종 건강 보조제와 함께, ‹고도를 기다리며› 책이 보인다.

미숙

담달이면 적금 타거든요. 그때까지만,

유리

그럼, 엊그제 밤도 당직이셨던 게 아니었어요?

미숙

(짐을 푸는 속도, 점점 빨라진다)
유리 선생님은 참 착한 분이세요!

유리

(애써 착한 표정)
뭘요… 형편 되는 사람이 도와야죠…

미숙, 유리의 거울을 떼 내고, 자신의 거울을 벽에 건다.

미숙

생각보다 더 착하시네요!

유리, 울며 겨자 먹기로 미숙의 짐 정리를 돕기 시작한다. 문득 미숙의 거울에 붙은 경구를 발견하는 유리. ‹1등에 목을 매느니 목을 매겠다›. 미숙이 직접 만든 듯. 참 이상한 문구다.

유리

왜 굳이 1등을 안 하려고 하세요, 양 선생님?

미숙

세컨드면 됐지! 왜 그렇게 욕심이 많아!

아차. 이러면 안 되는데, 그놈의 성질! 어안이 벙벙한 유리, 움찔. 뒤로 물러나는데. 미숙, 화다닥. 유리 앞으로 기어와 뾰족한 말투로 몰아붙인다.

미숙

달 표면을 세컨드로 밟은 사람이 누군지 알아, 몰라?

세컨드로 남극 정복한 사람은?
토리노 동계올림픽 크로스컨츄리 클래식주법 남자 개인 2등,
그러니까 세컨드는?

유리, 당연히(?) 대답 못 한다. 미숙, 유리를 밀치고 거울을 앞에 앉더니 거칠게 화장을 시작한다.

미숙

그렇게 다들 1등만 외우니까 추잡스럽게 1등만 하려고 하는 거지!
천. 박. 하. 게.

유리, 왠지 마음 상한다. 침묵 속의 방안, 음악 방송에서 흘러나오는 서 선생의 목소리만 가득하다. 미숙, 갑자기 유리를 착. 째려보더니 대뜸.

미숙

혹시 두 사람! …살도 좀 닿고 그랬나?

유리

살만… 조금…
(미숙, 죽고 싶다. 유리, 몸서리치며)
전, 그런 거 진짜 싫어해요!

미숙

거… 짓… 말…

유리

전 사랑하는 남자랑 두 손 꼭 잡고, 잠만 자는 게 소원이에요!

미숙

(붉어진 두 눈으로 유리를 노려보며)
… 두 손 꼭 잡고, 뒤로 해보는 게 소원은 아니고?

유리

(혐오스런 표정, 가르친다)
결혼한 다음엔 몰라도, 그 전엔 싫어요!
그때까지 못 참겠다면, 그런 남자랑은 끝내야죠!

바로 한 방 먹은 미숙. 유리, 벌떡 일어나 욕실로 들어간다.

비치는 잠옷 속, 검정색 티 팬티가 보인다. 쾅! 욕실 문, 닫힌다. 그래 너 잘났다… 미숙, 붉어진 두 눈에 한 줄기 눈물 쭈르륵. 욕실에서부터 들리는 유리의 샤워 물줄기 소리. 쏴아아-!

34
벨리 댄스 학원 연습실(저녁)

수업 시간. 분노 가득한 시뻘건 얼굴의 미숙, 과하게 벨리를 추고 있다. 미숙의 둔부를 잡고 동작을 교정하는 은교, 되려 은교의 손이 미숙의 둔부에 이끌리는 형국이다. 깊은 생각에 잠겨 있던 미숙, 문득 거칠게 내뱉는 한 마디.

미숙

일단, 힘내요, 선생님!

엥? 갑자기 이게 뭔 소리인가? 은교, 미숙을 바라본다.

35
닭발 집(낮)

가슴 깊은 곳에서부터 끌어올려 터져 나오는 여가수의 노래가 흐른다. 창가 테이블, 선글라스를 낀 채 혼자 우적우적 닭발의 살을 발라 먹고 있는 미숙이 보인다. 어쩐지 근심 가득해 보이는 미숙. 어느새 나타난 종희, 미숙 앞에 섰다. 종희를 발견한 미숙, 움찔. 먹던 음식을 다 삼키지도 않은 채 괜한 목청 돋우며,

미숙

내가 생각을 좀 해봤거든?

종희

(주변을 둘러보며)
…나랑 같이 공연할 애는요?

미숙

솔직히 말해봐. 너도 사실 공연하기 싫지?

종희, 단호하게 고개 끄덕. 미숙, 표정 밝아진다.

미숙

나도 니네 엄마 아빠 앞에서, 너랑 공연하는 거 진짜 싫거든?
그러니까 우리, 공연 전에 니네 부모님 이혼을 막자!

종희

(당황한다)
우… 리… 요?

미숙

(바보 같은 표정)
어.

종희

못 구한 거예요?

미숙

(죄진 사람 마냥 고개 푹- 숙인다)
… 내가 아는 사람이 있… 어… 야지.

종희, 울먹인다. 미숙, 움찔. 변명을 시작한다.

미숙

그래도, 혹시 몰라서 일단 준비는 해왔거든?

미숙, 쭈뼛쭈뼛 사무엘 베케트의 ‹고도를 기다리며›를 건넨다. 미숙, 종희 눈치를 보며,

미숙

'고도'라는 사람을 기다리는 얘긴데, 수준도 높아서
우리 둘이 하기 딱 좋아…

‹고도를 기다리며›를 뒤적여 보는 종희, 사색이 되어 와락 엎드린다.

종희

난 다 망했어!

미숙, 움찔. 시뻘게진 얼굴로 큰소리 떵떵 치기 시작한다.

미숙

걱정 마, 종희야. 절대 우리가 공연할 일은 없을 거야!
…왜냐면, 우리는 그전에 반드시 니네 부모님 이혼을 막을 거니까!

종희

(벌떡 일어나며 바락 신경질 낸다)
어떻게 막아요, 우리가!?

미숙

(움찔. 애써 어깨 으쓱-)
이유리는, 결혼할 때까지 못 참는 그런 남자랑은 당장 끝낸대!

36
원성여중 어학실 복도(밤)

휑한 복도. 학교 순찰을 하는 수위 아저씨가 복도를 지나간다.

37
원성여중 어학실(밤)

어학실 구석자리, 미숙과 종희, 찰싹 붙어 앉아 두 손 모으고 기도 중.
모니터 윗 단에 붙여 놓은 노란 포스트잇, 시뻘건 사인펜으로 써 놓은 문구.

" 이유리는, 결혼할 때까지 못 참는 그런 남자랑은 당장 끝낸다. "

노트북에 초집중하는 미숙과 종희. 모니터 불빛이 그들의 얼굴을 기괴하게 비춘다. 두 사람, 비장하다.

미숙

두고 봐, 얘 이제 금방 떨어져 나갈 거구!
그럼, 니네 부모님도 이혼 안 한다!

노트북 모니터에 떠 있는 메신저 대화 창. 띵동!
‹이유리 님이 입장하셨습니다› 창이 쏘옥- 떠오른다.

미숙

그럼, 우리는 공연 안 해도 되잖아!
그러니까, 파이팅!

띵동! 메신저 수신 알람!

이유리 님: 갑자기 메신저는 왜…….

책상 위, 이니셜 S. J. 가 붙어있는 서 선생의 핸드폰, 울린다.
발신자 '이유리'. 미숙, 발끈. 키보드를 두드린다.

서종철 님: 앞으로는 문자도, 전화도 하지 마! 우리는 여기서만 만난다!

미숙, 잘근잘근 입술을 깨물며 신들린 듯 자판을 두드리기 시작한다.

서종철 님: 나 너랑 자고 싶어서 죽겠어.

종희, '문장이 어째 영…' 고개 갸우뚱. 미숙, 종희 눈치를 보더니,
다시 자판을 두드린다.

38
유리의 방(밤)

‹S. J의 월드 뮤직›에서 음악방송이 흘러나오고 있다.
채팅창, 서종철 님의 한 문장, 떠오른다.

서종철 님: 내 맘 알지?

유리, 고개 갸우뚱.

39
원성여중 어학실(밤)

서종철 님: 솔직히 사실적으로 말해서 내 맘은, 정말로 ..

미숙, 진지한 얼굴로 자판을 치고 있다. 혀를 쯧쯧 차는 종희, 미숙에게서

자판을 뺐더니 미숙의 문장을 다 지운다.

40
유리의 방(밤)

띵동! 한 문장, 떠오른다.

서종철 님: 널 만지고 싶다. 깊숙이.

유리, 울음이 터질듯 한 얼굴이다.

41
원성여중 어학실(밤)

이유리 님: 저… 무서워요…

미숙, 오호라~ 종희의 머리를 쓰다듬으며,

미숙
우리 종희… E.Q가 높구나…

종희
(정중하게)
감사합니다, 선생님.

어깨, 으쓱! 더욱 여세를 몰아, 자판을 두드리는 종희. 그런 종희를 바라보는 미숙의 만면, 놀라움이 가득 번진다.

42
유리의 방(밤)

유리의 대화 창, 종희가 완성한 문장이 떠 있다.

서종철 님: 니 팬티를 입고 싶다. 박박 찢어버리고 싶다!!

당황한 유리, 무언가 썼다 지웠다를 반복한다.

43
원성여중 어학실(밤)

유리, 대답 없다. 신난 미숙, 종희에게서 자판을 뺏어 두드리기 시작한다.

44
유리의 방(밤)

이유리 님: 선생님… 잠깐만요… 저 할 얘기가 있어요….

유리, 위의 문장을 계속 썼다 지웠다 반복하고 있는데, 띵동! 소리와 함께 서종철님의 문장이 뜬다.

서종철 님: 널 먹고 싶다. 벗어봐, 지금.

45
원성여중 어학실(밤)

미숙과 종희, 사악한 미소 지으며 모니터를 노려보고 있다.

46
유리의 방(밤)

유리, 자판치기를 중단한 채 깊은 생각에 잠긴다.

47
원성여중 어학실(밤)

미숙과 종희, 하이파이브! 마주보며 낄낄대는데, 띵동! 메신저 수신 알람. 종희, 미숙의 손을 덥석- 잡는다.

심각한 얼굴로 모니터를 가리키는 종희.

이유리 님: 안… 입고 있었는데…

미숙

갑자기 뭔 소리야, 이게?

종희

(울상)

선생님이 아까 벗으라 그랬잖아요, 팬티…

어학실 안, 무거운 침묵이 흐른다. 띵동!

이유리 님: 여보세요?

미숙

… 얘, 미친 거 아니니?

미숙과 종희, 동시에 철퍽. 엎드린다. 고요한 가운데 띵동! 수신 알람 소리 연달아 계속된다.

48
원성여고 비탈 복도(방과 후)

유리와 서 선생, 마주 서 있다. 유리, 얼굴 빨개지며 머뭇대다가,

유리

혹시 몰라서… 준비해봤어요…

유리, 꼬깃꼬깃 접은 무언가를 서 선생의 주머니 속으로 얼른 집어넣고, 후다닥 자리를 뜬다. 어리둥절 혼자 남은 서 선생, 조심스레 그것을 꺼내 보면… 곱게 접은 팬티 두 장. 하나는 빨간색 레이스, 다른 하나는 검정색 망사 팬티다.

미숙

저거 뭐니… 미치겠네.

저 멀리 2층 난간 위, 그들을 내려다보고 있는 미숙이 보인다. 미숙의 옆에 선 종희, 키가 안 닿아 계속 폴짝대며 난간 위를 솟아올랐다 가라앉았다 반복하더니, 도저히 안 되겠다 싶은지 분필털이를 끌고 와 딛고 서 훌쩍 올라선다.

한편, 두 손에 팬티를 쥔 서 선생, 이 감당치 못할 상황에 식은땀이 흐르는데, 여학생 무리, 꺄- 비명에 가까운 환호성을 지르며 서 선생에게 앞 다투어 인사하고는 부끄러워하며 도망친다. 우두커니 선 서 선생. 팬티를 주머니에 다시 넣고 비탈길을 내려간다.

이때, 저 2층 난간에서부터 들려오는 비명소리! 종희, 너무 몸을 밑으로 뺀 나머지 떨어질 뻔한 아슬아슬한 상황! 미숙, 얼른 종희의 허리를 잡는다.

49

원성여중 어학실(밤)

메신저 대화창. 다다다닥. 자판 치는 소리와 함께 엔터! 문장이 올라간다.

서종철 님: 여기서 우리가 나눈 대화는, 밖에서 얘기 꺼내지 말아줘.
그래야 짜릿하다! 부탁한다!

이유리 님: 그럼… 매일 밤 여기서만 만나나요?

'서종철 님' 커서만 깜박이고 있다. 이윽고, 대답이 입력된다.

서종철 님: 꼭 … 매일… 만나야 하나?

벌겋게 상기된 종희, 자판 앞에서 대기 중이다. 옆에 앉은 미숙, 고대 인도의 성애(性愛) 교과서 ‹카마수트라›를 뒤지고 있다. 여기저기 밑줄에다가 별, 당구장 표시로 새까맣게 닳은 ‹카마수트라›. ‹카마수트라› 삽화 중, 남자가 여자 사타구니 깊숙이 코를 쑤셔 넣고 있는 그림을 보며 종희에게 지시 내리는 미숙.

미숙

너의 사타구니 깊숙이, 내 코를 쑤셔 넣는다.

종희, 고개 끄덕이며 미숙이가 불러 준 대로 자판을 두드린다. 두 사람, 표정 심각하다. '서종철 님'의 글이 오르기 무섭게 유리의 답, 띵동! 올라온다.

이유리 님: 토 나와! 이 변태!

미숙과 종희, 드디어, 아싸! 만면에 희망의 미소 떠오른다. 미숙, ‹카마수트라› 를 종희에게 넘기고, 자판을 뺏어 미친 듯이 두드린다.

50
유리의 방(밤)

‹S. J 의 월드 뮤직› 음악방송이 흘러나오고 있다. 유리 메신저 모니터 창,

서종철 님: 그리고, 나는 그 안에서 코를 풀어버린다.
크르르르릉…

유리, 구역질하며 자판을 두드린다. 띵동!

51
원성여중 어학실(밤)

이유리 님: 징그러워! 드러워! 꺼져! 이 변태 새끼야!

미숙과 종희, 기쁨의 눈물을 글썽인다. 뒤이어, 띵동! 미숙과 종희, 표정 일그러진다.

이유리 님: 그래서, 좋아!

종희
(울먹이며)
우리… 공연해야 되나 봐요…

화면, 꺼진다.

52
유리의 방(밤)

화면, 켜진다. 유리, 열심히 읽던 ‹남자가 대놓고 말하는 남자 마음 설명서›를 내려놓고 머리를 긁적인다. 화면, 꺼진다.

53
원성여중 대강당 안(점심시간)

페이드인. 대강당 안. 학생들, "1+1=무한대야"를 위한 공연 연습 중이다. 활기찬 풍경이 마치 축제가 벌어지고 있는 것 같다.

대강당 현관에 쳐진 암막 커튼 뒤, 미숙과 종희가 서 있다. 암막 커튼 너머 시끄러운 음악소리와 아이들의 함성 소리! 마치, 미숙과 종희, 막 무대로 오르기 직전의 상황 같다. 미숙과 종희, 공연 소품인 중절모를 들고 있다.

미숙

아무래도 난 못하겠다. 너 혼자 공연해라.

종희, 얼굴 붉어진다. 경멸의 눈초리로 미숙을 째려보며,

종희

아, 나도 선생님이랑은 공연하기 싫어요, 진짜!

종희, 밖으로 나가버린다. 홀로 남은 미숙, 마음 상한다. 얼굴 붉어진다. 갑자기, 안쪽에서 암막 커튼이 확 젖혀지더니, 연습 중이던 아이들 일부, 까르르. 웃으며 강당 밖으로 빠져나간다. 화면, 꺼진다.

54
원성여중 어학실(밤)

화면, 켜진다. 교단에 우뚝 선 미숙, 안마기로 마사지하며 맞은편을 노려보고 있다. 미숙의 맞은편 책상에 앉은 종희, 기계처럼 자판을 두드리며 미숙을 째려보고 있다.

노트북 입력창, 한 문장이 끝도 없이 이어진다.

서종철 님: 커진다커진다커커진다커진다커진다커진다머진다커진다…

55
유리의 방(밤)

'커진다' 문장 덩어리가 올라온 대화 창. 흡족한 유리, 모니터를 향해 두 팔을 뻗고 마법사가 마술 부리듯 원을 그리며 흐느적댄다. 가느다란 신음소리, 들린다.

56
원성여중 어학실(밤)

씬 54 연결. 종희를 노려보던 미숙, 갑자기 맹수처럼 종희에게 달려들어 노트북을 잡아챈다. 종희, 득달같이 달려들어 놓친 노트북을 다시 뺏어온다. 미숙, 다시 뺏으려는데 종희, 만만치 않다. 오기가 생긴 미숙, 책상 앞 전면 유리창을 빼내려 하자 종희, 이번엔 유리창을 붙들고 저항한다. 두 사람의 힘을 이기지 못한 유리창, 쩍 하는 소리와 함께 깨진다. 채팅창, 유리의 명령이 떨어진다.

이유리 님: 빨리! 더 빨리!

57
원성여중 어학실(새벽)

여기 저기 피가 묻어 있는 노트북 모니터. 채팅창, "커진다"는 문장이 끝도 없이 이어진다.

서종철 님: 커진다커진다커니다너ㅣ커진다커지단커지다닝…

자판을 두드리는 종희, 손과 팔에 적지 않은 출혈이 있다. 종희의 옆 책상에 올라와 주저앉은 미숙, 역시 팔과 얼굴 여기저기 피를 흘리고 있다. 두 사람, 몹시 지쳐 보인다. 저 혼자 씩씩대던 미숙, 갑자기 절규한다.

미숙

내가 챙피해?!

종희, 대꾸도 않고 계속 자판을 친다. 미숙, 시뻘게진 얼굴로 서러움에 가득한,

미숙

너도 내가 챙피해서 나랑 하기 싫은 거지?

뭔 소리야? 종희, 자판치기를 중단한다. 미숙, 재빠르게 일어나 파티션 너머 노트북을 단번에 뺏어 온다. 더 빠른 속도로 "커진다"를 두드리는 미숙. 종희, 불쑥 미숙의 파티션 안으로 들어오더니 호통 친다.

종희

선생님도 내가 싫은 거잖아요?
그래서, 다른 애들처럼 나랑 공연하기 싫은 거잖아요, 지금!

이게 뭔 소리냐? 미숙, 자판을 두드리며 신경질 버럭!

미숙

내가 널 왜 싫어하냐!

종희

(화색이 돈다)
…진짜요?

미숙

근데, 넌 내가 챙피해서 나랑 공연하기 싫은 거잖아, 지금!

종희, 입 꾹 다문다. 아니라고는 말 못하겠다. 시뻘게진 미숙, 막상 말을 뱉으니 더 분하다. 그만, 우렁차게 버럭!

미숙

너, 너무해!!!

유리 목소리

(갑자기 거친 숨 들이키며)
커… 진다… 커허… 허…… 커… 허… 컥!

미숙과 종희, 동작 멈추고 뒤돌아본다.

58
유리의 방(새벽)

유리가 읽고 있는 ‹카마수트라›. 여자가 교성을 내는 다양한 방법이 적혀 있다. 고개를 한껏 뒤로 젖힌 유리, 마지막 교성을 내뱉으며 엔터! 친다. 피곤에 지친 하품 내뱉으며 책상에 엎어지는 유리. 유리의 책상 주변, 한때 미숙이 공부했던 갖가지 '남자 연구 서적들'이 널브러져 있다.

59
원성여중 어학실(새벽)

씬 57 연결. 어학실 문 밖, 학생들 예닐곱 명, 황당한 얼굴로 미숙과 종희를 구경하고 있다. 미숙과 종희, 반사적으로 떨어져 앉는다. 복도를 지나 등교하던 학생들, 무슨 일이 있나? 싶어 급속도로 모여들기 시작, 어학실 안까지 떼로 밀려들어온다. 피투성이의 미숙과 종희, 몸을 숨기며 점점 작아진다.

60
벨리 댄스 학원 연습실(밤)

어두컴컴하다. 한쪽 벽면, 벨리 댄스 복장을 한 은교의 거대한 브로마이드가 붙어있다. 은교의 브로마이드 앞에 선 붕대 투성이의 미숙과 종희, 똑같은 학교 츄리닝을 입고 콩쥐팥쥐 동작을 하며 ‹고도를 기다리며› 대사를 외우고 있다.

미숙

여러 가지로 고마웠소.

종희

저야말로 고맙습니다.

미숙

천만에.

종희

아니 정말 고맙습니다.

미숙

무슨 말씀을.

종희

아니 정말 고맙습니다!

미숙

원 별소릴 다하는 군.

종희

아니 정말…
(목소리 톤 바뀌며 버럭 신경질 낸다)
우리 꼭 이러면서 대사를 해야 돼요?

미숙

우린 혈액순환이 필요해.

종희

무슨 말인지 하나도 모르겠단 말이에요.

미숙

좀만 참아… 하다 보면 수준 높아져.

종희

아니, 정말 고맙…

미숙을 들쳐 업은 종희, 갑자기 버럭 신경질을 내며 미숙을 내친다.

종희

나, 그만 할래요!
(‹고도를 기다리며› 책을 집어던진다)
뭐든 열심히 하지 말라면서, 선생님은 왜 이렇게 열심히 해요?

미숙

난 원래 그런 사람이야. 그럼, 기도하자!

내동댕이쳐진 미숙, 종희에게 기어가 두 손을 잡으며 바닥에 앉힌다. 종희, 온몸으로 신경질 내며 같이 기도한다.

미숙

하나님 아버지, 제발 이유리는 떨어져 나가고,
우리도 공연 안 할 수 있게 도와주세요…

종희

(지칠 대로 지친 한숨)
정말 이렇게 열심히 살아야 되는 거예요?

미숙

세상이 공평할 거란 기대를 버려.
우리 같은 사람은 남들보다 더 열심히 살아야 돼.

전원 대기 상태였던 노트북, 띵동! 소리와 함께 모니터 불이 켜진다.

*이유리 님: 이제 시작할까요?^^*

61
몽타쥬: 점점 더 초췌해져가는 미숙과 종희.

몽타쥬 1. 벨리 댄스 학원 비상구
복도 센서 등 켜지면, 은교, 학원 문을 잠그고 퇴근한다. 복도 비상구 문 뒤에 숨어있던 미숙과 종희, 은교가 사라지면 살금살금 학원 안으로 들어간다.

몽타쥬 2. 유리의 방
유리 컴퓨터 모니터에 쓰여 있는 문구. ‹쉽게 넘어가지 말자› 유리, 고민 가득한 얼굴로 모니터를 바라보고 있다.

몽타쥬 3. 벨리 댄스 학원 연습실
콩쥐팥쥐 동작을 하며 ‹고도를 기다리며› 연습하는 미숙과 종희. 노트북의 모니터 불이 켜진다.

이유리 님이 로그인하셨습니다.

미숙과 종희, 잽싸게 노트북으로 달려온다.

몽타쥬 4. 유리의 방
유리, 여전히 고민 가득한 얼굴로 모니터를 바라보고 있다. 로그인 했던 아이디를 로그오프 표시로 바꾼다.

몽타쥬 5. 벨리 댄스 학원 연습실
채팅창. 유리의 아이디, 로그오프 상태이다. 미숙과 종희, 고개 갸우뚱. 노트북을 막 때린다.

몽타쥬 6. 유리의 방
여전히 심각한 유리, 모니터에 쓰여있는 ‹쉽게 넘어가지 말자› 문구만 바라보고 있다.

몽타쥬 7. 벨리 댄스 학원 연습실
콩쥐팥쥐를 하며 ‹고도를 기다리며› 연습하는 미숙과 종희. 노트북의 모니터 불이 켜진다.

이유리 님이 로그인하셨습니다.

몽타쥬 8. 벨리 댄스 학원 비상구
복도 센서 등이 켜진다.

몽타쥬 9. 벨리 댄스 학원 엘리베이터
은교, 엘리베이터에 탄다.

몽타쥬 10. 벨리 댄스 학원 건물 계단
종희, 미숙을 업고 힘겹게 올라간다.

몽타쥬 11. 벨리 댄스 학원 비상구
복도 센서 등, 꺼진다.

몽타쥬 12. 벨리 댄스 학원 엘리베이터 안
은교가 탄 엘리베이터, 내려간다.

몽타쥬 13. 벨리 댄스 학원 건물 계단
종희, 미숙을 업고 힘겹게 올라간다.

몽타쥬 14. 벨리 댄스 학원 비상구
복도 센서 등, 켜진다. 은교, 학원 문을 잠그고 퇴근한다. 비상구 문 뒤, 숨어 있는 미숙과 종희. 복도 센서 등, 꺼진다. 미숙과 종희, 살금살금 학원으로 들어가려다 다급하게 되돌아와 숨는다. 은교, 물건을 잊고 나왔는지 다시 학원 안으로 들어간다. 종희 품에 있던 노트북, 요란한 메시지 도착음 딩동! 노트북의 모니터 불이 켜진다. 미숙과 종희, 화들짝. 놀라며 주저앉는다.

몽타쥬 15. 벨리 댄스 학원 연습실

이유리 님이 로그인하셨습니다.

노트북 앞에서 채팅하는 미숙과 종희. 미숙은 전극마사지를 받으며 자판을 두드리고 있고, 종희는 전기충격레벨을 조절하고 있다.

몽타쥬 16. 유리의 방
여전히 모니터에 쓰인 문구 ‹쉽게 넘어가지 말자›. 심각한 얼굴의 유리, 자판을 두드리고 있다.

몽타쥬 17. 벨리 댄스 학원 연습실
콩쥐 팥쥐 하는 미숙과 종희. 노트북의 모니터 불이 켜진다. 미숙과 종희, 달려온다. 채팅하는 미숙과 종희. 종희, 자판을 두드리고 있고 미숙, 종희에게 계속 간식을 먹이고 있다.

몽타쥬 18. 유리의 방
심각한 얼굴로 졸고 있는 유리, 파다닥. 잠에서 깬다. 유리, 로그오프 표시했던 아이디를 로그인한다.

몽타쥬 19. 벨리 댄스 학원 연습실

이유리 님이 로그인하셨습니다.

내내 흐르던 몽타쥬 씨퀀스 음악, 펑! 하는 폭발 소리와 함께 끝난다.

62
벨리 댄스 학원 연습실(새벽)

아침 햇살이 창을 통해 들어오고 있다. 연습실 바닥에 대자로 누워있는 미숙과 종희. 미숙은 노트북 아래에 머리를 두고 누워있고, 종희는 ‹고도를 기다리며›를 얼굴에 묻은 채 누워있다. 종희, 힘없이 입을 연다.

종희

선생님 아빠는 어떤 분이세요?

미숙, 순식간에 시뻘게진다.

미숙

어… 우리 아빠는 나 태어나기 전에 돌아가셔서, 얼굴도 몰라.
(괜히 씩씩하게)
그래도, 엄마는 나 태어나고 돌아가셨어!

어색한 침묵, 흐른다.

미숙

… 니네 엄마랑 아빠는 맨 처음에 어떻게 만났냐?

종희

음… 엄마가 아빠보다 8살 많거든요?
그러니까, 엄마가 29살 때, 술 먹고 오토바이 타다가 택시랑 박았대요.
그래서, 1년을 입원했었는데, 그때 대학생이었던 아빠는
착한 일 하고 싶다고 거기서 봉사활동을 했었구,
그러다 두 사람이 눈 맞았는데…

종희, 갑자기 입을 꾹, 다문다.

미숙

… 눈이 맞았는데?

종희, 갑자기 미숙을 떠나 또르르 굴러 간다. 미숙, 종희를 향해 옆 포복으로 기어가며,

미숙

왜 이래? … 나랑 연애해? … 왜 말하다 말아!?

종희

그게… 좀… 외설적인 면이 있어서,

종희, 양 팔에 고개를 파묻고 엎드려 있다. 미숙, 어라? 종희의 머리를 억지로 끄집어내며,

미숙

괜찮아, 나도 외설적이야!

종희

(머리가 뒤로 꺾어진 채 이실직고한다)

그러니까… 엄마가 날 임신한 거예요, 8인용 병실에서!

미숙

오… 마이…

종희

(미숙의 눈치를 본다)

게다가, 전신 기브스한 채로…

미숙

(도저히 믿을 수 없다는)

그게 가능하단 말야?!

종희

(지나치게 버럭 화낸다)

그럼, 불가능하단 말이에요?

미숙, 종희의 머리를 잡았던 손을 편다. 종희의 머리, 퉁. 바닥에 떨어진다. 어느새, 미숙과 종희, 양 팔에 머리를 묻은 채 바닥에 엎드려있다.

종희

하여간, 엄마가 절 임신한 걸 알고 먼저 프로포즈했는데,

아빠가 바로 넘어왔대요.

미숙

(두 눈 반짝)

어떻게 했는데?

종희

그냥, 아빠한테 딱 한 마디 했대요.

미숙

임신했으니까 책임지라고?

종희

(미숙에게 등 돌린다)

찌질하게!

당황한 미숙, 기침한다.

63

8인용 병실(과거): 16년 전

전신 기브스한 29살의 은교, 누워 있다. 21살의 서종철, 차렷! 자세로 서 있다.

은교

난 니가 참 마음에 든다!

종희 목소리

딱 그 한 마디!

64

벨리 댄스 학원 연습실(새벽)

미숙의 시뻘건 뺨에 한 줄기 눈물 주르륵. 벌떡 일어난다. 퀭한 눈빛으로 은교의 저음의 카리스마를 흉내 내며,

미숙

더 이상 못해먹겠다. 전략 수정하자!

65

원성여중·고 창고 안(점심시간)

어두운 창고 안. 천정엔 만국기가 펄럭이고 있다.

서종철 님: 더 이상 못 참겠다. 보여줘, 바로 내 눈앞에서!

초조한 표정의 유리, 주변을 살피며 창고 안으로 들어와 바닥에 널브러진

쓰레기 포대들을 구석으로 밀어 넣는다.

서종철 님: 너는 나만의 라이타!

유리, 버려진 체육 매트 하나를 잘도 찾아내 곱게 바닥에 깔더니 저 혼자서 얼굴 발그레.

이유리 님: 라이타…요?

컴팩트를 꺼내더니 거울을 보며 블라우스 단추를 하나씩 푼다.

종희 목소리

단추 하나 더 풀고 있어요. 야한 브라자 입었어!

유리의 등 뒤로 보이는 높다란 쪽창. 창밖으로, 종희 얼굴이 삐죽이 솟아 올라와 있다.

서종철 님: 내 몸에 불을 지르는 나만의 라이타 !

66
원성여중·고 창고 밖(점심시간)

창고 밖 담장 밑. 종희, 쪽창을 통해 창고 안을 들여다보고 있고, 미숙, 그런 종희를 무등 태우고 있다. 종희를 이고 있느라 시뻘게진 미숙, 땀을 뻘뻘 흘린다.

종희

아빠 왔다!

67
원성여중·고 창고 밖(점심시간)

서 선생, 한 손에 쇼핑백을 든 채 뚜벅뚜벅 창고 안으로 들어온다.

서 선생

이 선생님… 갑자기 무슨 일로…

서종철 님: 라이타를 러시아어로 말해줘. 섹시하게 말해줘!
정확하게 69번! 러시아어로!

유리
(대뜸, 색정적인 미소 지어 보이며)
자지깔까!

종희 목소리
러시아말로 라이타가…. 저거야?

서 선생, 얼어붙는다. 유리, 갑자기 체육 매트 위에 벌렁 눕더니 고개를 돌린 채, 두 눈 질끈 감고,

유리
자지깔까! 자지깔까…

68
원성여중·고 창고 밖(점심시간)

시뻘건 미숙의 얼굴에 음흉한 미소 떠오른다.

미숙
(감격에 겨운)
고맙다, 종희야!

69
원성여중·고 창고 안(점심시간)

서 선생, 유리에게 다가가려 하는데, 유리, 외친다.

유리
잠깐! 아직 안 끝났어요, 선생님!

서 선생 멈칫. 유리, 이번엔 서 선생에게 뒤를 보이고 무릎을 꿇고 엎드리더니,

유리

(신음 소리 섞어가며)

아으…. 서 선생님…. 아…! 아…! 자지깔까… 자지깔까…!

엉덩이를 상하로 들썩이며 리듬을 타는 유리, 정말 최선을 다 한다. 서 선생, 두 눈 질끈 감아 버린다. 쾅! 문 닫히는 소리! 유리, 어머나! 벌떡 일어나 앉는다. 서 선생의 모습은 온데간데없다.

유리

(당황해서 소리치며)

서 선생님… 어디 계세요, 서 선생님, 저 무서워요~!

유리의 옆, 서 선생이 놓고 간 쇼핑백이 엎어져 있고, 쇼핑백 안에서는 그동안 서 선생에게 건넸던 팬티를 포함, 애호박, 선인장 등 도대체 용도를 추측하기 어려운 물건들이 터져 나와 있다.

띵동~! 유리의 핸드폰 문자 수신 알람. 핸드폰 문자를 확인한 유리, 숨이 턱 멎는다.

'우리 와이프가 훨씬 땡긴다. 넌 실망이구나. 안녕! — 서종철'

70
원성여중·고 창고 밖(점심시간)

미숙과 종희, 핸드폰 폴더를 닫으며 사악한 미소, 씨익-. 그동안 수면 부족에 마음고생 많았는지, 퀭하니 야위었다. 종희, 미숙에게 ‹고도를 기다리며› 책을 돌려준다.

미숙

(안도의 한숨)

우리, 이제 공연 안 해도 된다.

71
원성여중 · 고 창고 안(점심시간)

유리, 망연자실 미동도 없다. 이때, 저 구석, 부스럭거리는 소리와 함께 구석의 이불더미가 벌떡 일어선다. 유리, 화들짝. 반사적으로 엎드려 죽은 척한다. 이불 더미 속에서 여중생 하나, 막 잠에서 깬 듯 두 눈을 부비며 일어나 기지개를 켜며 나가버린다. 게으른 햄스터 같이 생겼다. 엎드려 죽은 척 미동도 없는 유리의 얼굴 위로 팔랑팔랑 만국기 하나 떨어진다.

72
원성여중·고 창고 밖(점심시간)

신이 난 미숙과 종희, 어깨동무하고 창고 뒤편에서 걸어 나온다. 자다 나온 햄스터, 그런 두 사람을 바라본다.

73
원성여고 교실(오후)

학생들, 문학 교과서에 실린 시를 큰 소리로 읽고 있다. 백석의 시 "남신의주유동박시봉방(南新儀州柳洞朴時逢方)"

학생들

이때, 나는 내 뜻이며 힘으로,
나를 이끌어 가는 것이, 힘든 일인 것을 생각하고…

교단에 선 서 선생, 비통한 표정으로 생각에 잠겨 있다.

74
피부과 진료실(오후)

미숙

친구란 게… 나이랑은 전혀 상관없는 거 같아요, 선생님.

이건 또 뭔 소리인가? 의사, 움찔. 시뻘건 미숙, ‹고도를 기다리며› 책을 건네며 색스러운 미소를 지어 보인다.

미숙

말 안 해도, 막 통하면서 그러는 거 있잖아요…
내가 '커진다' 치면요,

걔는 더 많이 '커진다커진다' 치는 거예요,
내가 팔 아플까 봐!
그럼 난 또 걔가 팔 아플까 봐 더 많이 커진다커진다커진…

미숙, 정신 빠진 사람 마냥 비실비실 웃으며 커진다 커진다… 를 중얼댄다.
의사, 난감한 표정으로 차트에 무언가 적더니 간호사에게 건넨다.

'이 환자한테는 우리 병원, 담 주에 이사한다는 얘기 하지 말아요!'

75
서 선생의 방 (저녁)

모니터, 네이버 지식 검색이 띄워져 있다.

'질문: 온몸에 기브스 한 여자와 기브스 안 한 남자가 가능한 체위는 어떤 게 있어요?'

질문자를 조롱하는 온갖 저질 답변이 올라와 있다. 모니터 앞에 앉은 종희, 두 손으로 얼굴을 가린 채 미동도 없다.

76
유리의 방 (저녁)

서 선생의 음악방송, 흐른다. 선곡된 음악마다 쓸쓸하기 그지없다.
화장대 앞에 앉은 유리, 써클렌즈를 끼고 있다. 표정, 비장하다. 유리의 긴 머리, 싹둑 잘려 빠글빠글 볶아져 있다.

미숙, 유리 등 뒤에 자리 잡고 좌욕 쑥 찜 중이다. 목 아래부터 분홍 이불 보자기를 뒤집어쓰고 있는 형상이 마치 머리 달린 큰 종 같다. 유리, 갑자기 홱- 돌아앉으며,

유리
언니, '서'가 좀 이상해요.

한쪽 눈에만 써클렌즈를 낀 모습, 두 눈에 애처로움이 가득하다.
기괴하다.

유리

자기 혼자 끝냈다가, 먼저 연락했다가,
다시 또 끝냈다가, 지금은 문자 보내고…!

미숙

문자? 무슨 문자?!

미숙, 순식간에 시뻘게진다. 유리, 핸드폰 문자를 보여준다.

서 선생 목소리

그 날 이후로 연락 없으시길래 그렇게 끝났다고 생각했었어요.
미안해요. 서종철.

미숙

끝났다고 생각했… 었… 는데… 아직 안 끝났단 얘기야?!!

유리

(미숙에게 다가와 앉는다)
아니, 이건 전에 끝났을 때를 말하는 거죠.

미숙

전에, 언제 전에!?

유리

내가 '서' 대신에 언니 데리러 고깃집 갔던 날!

미숙

… 그날, 둘이 끝났었다는 얘긴 안 했잖아!

유리

그날 되게 냉정하게 말했거든요, 와이프가 이혼 얘기 꺼냈다고…
그때 난 느낌이 온 거지, 이게 끝이구나…

이게 무슨 자다 봉창 두드리는 소린가! 미숙, 뒷목이 당겨온다. 애원하는,

미숙

그래도, 끝내자고 말한 건 아니었잖아아아~!

유리, 홱- 돌아 거울 앞에 앉아 나머지 한쪽 눈에 써클렌즈를 낀다.

유리

끝낼 때, 뭐 '우리 그만 끝내자!' 그러면서 끝내나?
그냥 느낌적인 느낌 딱. 오면, 그게 끝인 거지.

미숙

(뱃속부터 끓어오르는 증오에 찬 고함)
연애하면, 연애한다! 끝났으면, 끝났다! 왜 말을 안 해?!
니가 연예인이야?!!!

유리

언니 삐졌구나? 미안해…

유리, 그간 맘고생 많았는지 조금 성숙해진 척 한다.

유리

빨리 나가봐야겠다. 그이 혼자 술 마시고 있대.

유리, 좌욕 쑥 찜 중인 미숙을 폭 안아주더니, 홱- 옷장으로 간다.
미숙, 화다닥. 좌욕기에서 튀어나와 유리의 팔을 잡아채 팔짱 낀다.
좌욕기에서는 뭉게뭉게 연기가 새어 나온다.

미숙

왜 이래? 여자가 자존심도 없어?

유리, 정말 자존심도 없이 고개 끄덕인다. 억울한 표정으로,

유리

나는 여태 맨날 그랬다, 언니.
다들 나 좋다고 난리 칠 땐 언제고, 내가 겨우 좋다구하잖아?
그럼, 정확히 2개월 15일 후에 바로 다 차버렸어!
(두 눈에 눈물 그렁. 점점 울먹인다)
… 나, 반성 많이 했거든요.
그래서, 이번엔 정말 노력 많이 했는데…
진짜 공부도 많이 해보고…

머리 복잡해진 유리, 벌떡 일어서서 나갈 채비를 한다.

미숙

내가 말했잖아, 남자는 원래 '그냥' 이야, 그냥!
제발 깊이 생각하지 마, 유리 선생님.

유리

나, 언제 들어올지 모르니까 걱정 말고 주무세요, 언니.

아, 오늘 밤 그녀는 유난히 예쁘고 청순하다! 미숙, 유리의 발목을 덥석 붙잡으며 매달린다. 처절하다.

미숙

요즘 세상이 어떤 세상인데, 유리 선생님.
어디서 술 마시는지는 알려주고 가야 내가 안심하고 잠을 자죠!

유리

(배시시. 웃더니 미숙을 귀여워해 준다)
나, 그 고깃집으로 가니까, 언니야 걱정 말고 푹 자아!

뒤돌아 나가는 유리의 엉덩이, 살랑살랑 흔드는 것이 미칠 것만 같다.
쾅! 문 닫힌다. 미숙, 정신이 아득해진다.

77
서 선생네 부엌(늦은 저녁)

도마 위, 딱딱하게 언 동태가 칼에 끼어있다. 은교, 칼을 좌우로 굴리며 눌러보지만 동태, 절단 되지 않는다. 은교, 칼에 끼인 동태를 그대로 두드리기 시작한다. 무표정이다. 도마에 팔과 얼굴을 숙, 집어넣는 종희, 살벌하게 위험한 순간. 잔뜩 겁먹은 얼굴의 종희, 물컵을 집어 들고 입에 댄 채 개미만 한 목소리로,

종희

근데요, 어머니… 온몸에 기브스하면 움직일 수 있어요?

은교

(종희를 질책한다)
당연히 못 움직이지!

종희, 멍청하게 은교를 바라보다가 몸을 빼며,

종희
아… 그렇구나…

은교, 내려치던 동태를 계속 내리친다. 띵동! 핸드폰, 문자 오는 소리.

78
유리의 방(저녁)

근심 가득한 미숙, 바닥에 주저앉아 다급하게 외출복을 고르고 있다. 사방에 널브러진 미숙의 옷, 전부 검은색이다. 미숙, 화다닥. 달려가 유리의 옷장을 열어젖힌다. 유리의 옷장, 화려하고 밝은 각양각색의 옷이 걸려 있다.

미숙 목소리
종희야지금니네아빠랑이유리가만난다.나도어떻게할테니까너도어떻

79
서 선생네 부엌(늦은 저녁)

종희의 핸드폰 수신 문자함.

'종희야지금니네아빠랑어유리가만난다.나도어떻게할테니까
너도어떻—양 탱'

문자 확인한 종희, 사색이 된다. 갑자기 은교를 와락. 껴안더니,

종희
(두 눈에 눈물 그렁)
그래도, 어머니는 진짜 예뻐요!

80
시내 골목길(늦은 저녁)

사람들을 제치며 빛의 속도로 뛰는 여성이 보인다. 유리의 '수박색' 원피스를

입었다. 언뜻, 그 모습, 유리 같은데, 얼굴은 시뻘건 양미숙! 미숙, 목숨을 다해 달리고 있다.

81
고깃집(늦은 저녁)

서 선생의 핸드폰 진동음, 계속 들린다. 회식하는 손님들로 북적이는 고깃집 안. 유리, 두리번대며 안으로 들어간다.

82
모텔촌 거리(늦은 저녁)

서 선생의 핸드폰 진동음, 계속 들린다. 미숙의 핸드폰, 발신자 서종희 깜빡인다. 미숙, 핸드폰을 그냥 주머니에 넣고 절뚝이며 걷기 시작한다.

83
고깃집(늦은 저녁)

빈 테이블 위, 서 선생의 핸드폰이 진동하고 있다. 발신자 '딸내미'
태풍이 지나간 자리 마냥 초토화돼있는 테이블 위, 방금 전까지 술을 마셨던 흔적이 여실하다. 유리, 주위를 둘러봐도 서 선생의 모습이 보이질 않는다.

84
모텔촌 거리(밤)

서 선생의 핸드폰 진동 소리, 계속 들린다. 절뚝이며 걷고 있는 미숙.
미숙에게 부축받아 겨우 걷고 있던 만취한 서 선생, 고개를 든다. 충혈된 눈을 게슴츠레 뜨고 미숙을 보는 서 선생, 혀가 완전히 꼬였다.

서 선생

너… 는… 누구냐…

미숙

(예쁜 표정 지어보이며)

85
고깃집(밤)

서 선생의 핸드폰, 종희로부터의 전화가 계속된다. 서 선생 자리에 앉은 유리, 그를 기다리며 홀짝홀짝 소주를 들이키고 있다. 처량하기 그지없는 광경. 이때, 유리 핸드폰, 울린다. 발신자 확인하더니 갑자기 눈물 그렁하며 전화받는 유리.

유리
(혀가 꼬였다)
여보세요~

86
모텔 ‹르네상스› 8층 엘리베이터 안(밤)

미숙, 만취한 서 선생을 부축하고 있다.

'Eighth floor, the door is opening.'
(자막: 8층입니다. 문이 열립니다)

엘리베이터 문, 열린다. 미숙, 서 선생을 놓아주고는, 시뻘게진 얼굴로 고개 숙인다.

'The door is closing. Have a nice day.'
(자막: 문이 닫힙니다. 안녕히 가십시오)

엘리베이터 문, 닫히고 불 꺼진다. 먹먹한 고요. 미숙, 고개 든다. 서 선생, 미숙을 바라보고 섰다. 시뻘건 미숙, 그와 눈을 맞춘다. 이렇게 단둘이 눈을 맞춘 적은 처음이다. 그의 촉촉한 눈이 내게 무언가 얘기하고 싶어 하는 것 같기도 하고… 미숙의 가슴, 홍당홍당 뛴다.

서 선생, 어질어질하여 식별이 어려운데, 이 여자, 진정 유리와 흡사하다. 미숙, 두 눈 질끈 감고, “열림” 버튼을 눌러준다. 불 켜진다.

'The door is opening.'
(자막: 문이 열립니다)

서 선생, 미동도 없이 우뚝 서서 미숙을 바라본다. 시뻘건 미숙, 심장이 터질 것만 같다. 벅차오르는 감정에 정신이 혼미해지는데, 문이 다시 닫힌다. 어두운 엘리베이터 안. 서 선생, 점점 눈이 커진다. 자신을 바라보는 시뻘건 이 여자… 어라?

엘리베이터, 갑자기 웅… 환풍기가 돌아가며 불이 켜지더니 덜컹! 흔들리며 이동을 시작한다. 서 선생, 무어라 입을 여는데, 미숙, 까치발로 폴짝 뛰어올라 서 선생의 그 입술에 입을 맞춘다. 순식간에 벌어진 일이라 무방비 상태로 당하는 서 선생. 서 선생의 입술과 턱 사이 애매한 지점에 안착하는 미숙의 입술. 그래도 미숙, 황홀하다.

87
모텔 ‹르네상스› 7층 복도(밤)

엘리베이터 문, 열린다. 만취한 서 선생, 그만, 미숙의 입술에 자기 입술을 제대로 안착시킨다! 복도의 모든 형광등, 웅- 신음하며 깜빡깜빡 흔들리더니 파파박. 꺼진다. 화면, 꺼진다.

88
원성여중 어학실 안(밤):
미숙의 기억 : 뽀샤시 화면.

‹카마수트라› 중 한 남자가 여자 사타구니 깊숙이 코를 쑤셔 넣고 있는 그림이 화면 가득 펼쳐진다. 그림, 책장 넘어가듯 한 장씩 소개된다. 매 장마다 다른 체위의 그림이 나타난다.

어느새, 미숙의 시점 쇼트로 바뀐다. 미숙의 손, ‹카마수트라› 책장을 넘기고 있다. 그림을 보면서 종희에게 지시를 내리는 미숙의 목소리. 종희의 자판 치는 소리, 들린다. 책이 내려지면서 책 너머로 노트북 앞에서 자판을 두드리는 종희가 보인다. 종희, 시뻘게진 얼굴로 미숙이 불러주는 것을 받아치고 있다. 미숙, 낄낄대기 시작한다.

종희
뭐 해요…!

미숙, 폴더를 열어젖힌 카메라 핸드폰을 들어 종희를 프레이밍 한다. 카메라 핸드폰 액정 안, 종희 얼굴 클로즈업이 잡혀 있고 종희의 얼굴 밑에 ‹카마수트라›의 그림 한 장을 댔다. 그림 속, 정사 중인 남자의 벗은 몸에 카메라 액정 속 종희 얼굴이 붙어 있는 기이한 장면이 연출된다.

미숙
(낄낄대며)
대박이다, 대박!

핸드폰 액정 속, 종희, 괜히 따라 웃는다. 화면, 꺼진다.

89
모텔 ‹르네상스› 객실(새벽)

침대 위, 벗은 서 선생, 혼자 누워 있다. 참담하다. 서 선생의 옆 이불, 꼼지락꼼지락 움직인다. 이불속, 시뻘게진 미숙, 불편한 자세로 가운을 입는다. 가운을 입은 미숙, 쏘옥- 이불 밖으로 고개 내민다. 미숙, 수줍게 입을 연다. 행복하려 애쓰는 표정.

미숙
여기 모텔이요… 간판을… 금으로 만들어야 되는 게 아닐까요?
글자도 훨씬 크게 해서… 우리나라 모텔 중에서 제일 크게!

미숙, 서 선생의 손을 잡더니, 다섯 손가락 쫙 벌려 서로 엇갈리게 깍지를 꼭 낀다. 서 선생, 점점 두려워진다.

미숙
(서 선생과 깍지 낀 손으로, 모텔 물품들을 하나하나 가리키며)
저런 것도 다 금으로 만들구…
… 별도 다섯 개짜리여야 하는 거 아닌가?
(몹시 수줍어하며)
우리가… 있는데…

참을 수 없는 침묵, 흐른다.

서 선생, 조심스럽게 깍지 끼워진 손을 빼며 입을 연다.

서 선생

저기… 혹시, 유리 선생님 못 봤니…?

90
고깃집(새벽)

만취한 유리, 배시시 웃더니 폭. 고개 떨군다. 음악 변, 조심스레 유리의 머리를 자신의 어깨에 기대게 한다.

유리

… 난 외로운 팔자인가 봐요, 변 선생님.

유리의 볼을 타고 쪼르륵. 눈물방울 떨어진다. 음악 변, 두 눈에 애처로움이 가득 고인다.

91
모텔 ‹르네상스› 객실(새벽)

미숙, 크게 심호흡하더니, 겨우 개미만 한 목소리로,

미숙

… 선생님, 저에 대해 어떤 마음이세요?

서 선생

… 고맙고… 미안한 마음.

순식간에 시뻘게진 미숙, 서 선생을 살짝 흘겨보며 애써 미소 짓는다.

미숙

거… 짓… 말…

서 선생

내가 왜 거짓말하겠어요, 양 선생님.

서 선생, 갑자기 존댓말로 바뀌어 있다!

미숙

(뱃속 깊숙이 끌어올려진 발성으로 소리 버럭)

고맙고 미안하다구요?

서 선생, 깜짝 놀란다. 미숙, 벌떡 일어나 앉더니, 부들부들 떨며 목청 높인다.

미숙

고맙고 미안해서, 저한테 문자 보내셨고!

고맙고 미안해서, 거기다 특수문자까지 붙여서 보내셨어요?

서 선생, 이불을 움켜쥔다. 전혀 기억 못 하는 듯. 당황한 미숙, 대단한 히든카드라도 꺼내는 양, 저음의 카리스마.

미숙

그럼, 고맙고 미안해서… 월선이 전학 가는 날,

(수줍게 눈을 내리깔며)

… 안아주셨어요?

서 선생

(벌떡 일어나 앉는다)

… 누구를… 안아요?

미숙

엄! 월! 선!

재작년에 전학 간 우리 반 학생!

서 선생

저기, 양 선생님…

미숙

(당당하게 버럭)

왜요!

서 선생

재작년에 전학 간 다른 반 학생은 기억이 안 나구요,

특수문자라니요…?

미숙, 다급하게 서 선생 앞으로 엎어지면서 테이블에 놓인 자신의 가방 속 핸드폰을 꺼낸다. 미숙, 엎어진 상태로 서 선생을 향해 고개를 틀어 바라보며 애걸한다.

미숙

선생님… 제발 저한테 이러지 마세요…!

미숙의 핸드폰, 전원 들어오자마자, 부재중 전화 알람이 정신없이 울리기 시작한다. 밤새 걸려온 듯, 끊임없이 울리는 알람. 모두, 발신자 '서종희'. 당황한 미숙, 연신 종료 버튼 눌러댄다. 서 선생, 애써 태연한 척, 주섬주섬 옷을 입기 시작한다.

서 선생

… 혹시, 그거? 자동으로 막 그림 붙고 그러는 거죠?

미숙

(동작 중단!)
… 자동으로… 붙는다고요?

서 선생

(애써 무심한 척)
지난달에, 해제시켰어요.
애들이나 쓰는 그림 서비스를 왜 하겠어요, 내가…
…한심한 것들!

미숙, 머릿속이 하얘진다. 숨 막히는 침묵만 흐르는데, 갑작스런, 빰빠라밤~♬빰빰빰♪! 서 선생, 옷 입다 말고 푹 쓰러진다. 표정을 보니 심히 놀란 듯. 저도 놀란 미숙, 핸드폰 알람을 얼른 끄며,

미숙

(미안한)
아… 죄송해요! 죄송! 제가 요즘 새벽반 영어 다니느라구…

아, 내가 왜 이런 말까지 하는 거지? 미숙, 머리를 쥐어뜯으며 벌떡 일어나 창가 커튼을 확. 열어젖힌다. 커텐 밖, 알고 보니 그냥 벽이다. 미숙, 초점 잃은 눈으로 서 선생을 본다. 미숙의 시선은 모르는 척 옷을 입고 있는 서 선생, 손동작이 점점 빨라진다.

미숙

못. 생겨가지고!

서 선생, 대답할 말이 없다. 정말 못생겼다. 저 혼자 부르르. 분노하는 미숙, 절규한다.

미숙

그래도, 난 재재재작년 그날 티코 안에서 진실했어!

미숙, 옷더미를 안고 욕실 안으로 쾅! 들어가 버린다. 혼자 남은 서 선생, 정신이 하나도 없다.

92
원성여고 교실(오후): 인서트 컷:
뽀샤시 화면

씬 73의 한 장면. 학생들, 일제히 입을 모아 바락바락 목청 돋우며 시를 읽는다.

학생들

이때, 나는 내 뜻이며 힘으로,
나를 이끌어 가는 것이, 힘든 일인 것을 생각하고…

교단에 선 서 선생, 비통한 얼굴로 깊은 생각에 잠겨있다.

93
모텔 ‹르네상스› 엘리베이터 안(새벽)

시뻘게진 얼굴의 미숙, 엘리베이터 구석에 쪼그려 앉아 핸드폰 액정을 보고 있다.

교무 회의 시간엔 졸지 마. ♡♡♡\(/^.^)/(^0^)(^~^)(^.~)/♡♡♡♡♡
— 서종철

쭈그려 앉은 무릎 사이에 고개를 떨군 미숙. 머리카락에 가려 얼굴이 잘 보이지 않는다.

94
서 선생의 집 앞, 아파트 복도(이른 아침)

현관 앞. 은교, 팔짱을 끼고 섰다. 초췌한 서 선생, 고개 푹 숙인 채 마주 서 있다. 진심을 다한 한 마디.

서 선생

사랑해, 여보.

밤새 한숨도 못 잔 종희, 두 눈이 퀭하다. 아빠를 거칠게 밀어내며 책가방 들고 쾅! 현관을 나선다.

95
원성여중·고 교문(오전)

경비 아저씨, 축제를 알리는 교문 현수막 옆에 D-3 숫자를 떼고 2자로 바꿔 단다. 터벅터벅 그새 더 야윈 미숙이 출근한다. 스윽- 미숙을 막고 선 종희, 역시 더 야위었다. 어린아이답지 않게 짙어 버린 다크 써클을 하고서는 울먹이는 종희.

종희

아빠가 외박했어요, 선생님.

당황한 미숙, 그저 시뻘게지는데, 종희, 저 멀리 출근하는 유리를 발견한다.

종희

이유리다!

미숙을 발견한 유리, 어제 복장 그대로다. 당황한 기색이 역력하다. 유리, 미숙에게 손을 흔들며 고개까지 숙인다.

유리

어, 언니,

미숙, 당황하며 입고 있던 '수박 원피스'를 가린다. 종희, 분노하며 유리에게 다가가려는데, 당황한 미숙, 종희를 붙든다.

미숙

야,야! 나한테 맡겨!

종희, 억울한 얼굴로 미숙을 본다. 미숙, 엄격하게,

미숙

들어가, 얼른!

종희, 어금니 악물고 뒤돌아간다. 미숙, 전투 자세로 돌입. 유리 괜한 변명을 시작한다.

유리

나, 어제 '서' 랑 있었던 거 아니야, 언니!
우연히, 딴 여자 친구 만나서, 언니…!
(문득 미숙을 위아래로 훑어본다. 새초롬하게)
근데… 언니…내 '수박' 원피스 입고 있네? 말도 없이…

미숙

아, 같이 살면서 치사하게 니꺼 내꺼 따져요!?

종희, 교문 뒤에 숨어 두 사람을 지켜보고 있다. 미숙, 유리를 위아래로 훑어본다. 유리 움찔!

미숙

… 근데, 외박했어요?

유리

… 그럼, 내가 외박한 거 모르고 있었어요?

미숙, 아뿔싸! 시뻘건 얼굴, 더 시뻘게진다. 어색한 미소 지어 보이며,

미숙

어… 나도 어제 갑자기 아빠가 아프셔서…

유리

(고개 갸우뚱)
아빠? 아빠 돌아가셨다면서?

미숙

(당황한다)

어… 그거 뻥이었어.

유리

(표정 구기며)

언니, 왜 그런 뻥을 쳐요?

미숙, 뭐라 변명하려 입을 우물대는데, 유리, 미숙 등 뒤 방향으로 시선 멈춘다.

유리

'서'다!

초췌한 서 선생, 터벅터벅 출근한다. 미숙, 서 선생과 눈 마주친다.
서 선생, 미숙을 발견하자 흠칫. 외면해버린다. 자신을 외면해버린 서 선생.
미숙, 당황하며 도망친다. 그런 상황도 모르는 유리, 원통한 눈빛으로
서 선생에게 다가간다. 종희, 울컥. 유리를 저지하려 나가는데, 미숙은 뒤도
안 돌아보고 도망친다. 납득할 수 없는 이상한 상황이다.

한 편, 다가오는 유리를 피하고 싶은 서 선생, 뒷걸음질 친다. 그런 서 선생의 어깨를 툭. 치는 사람이 있으니, 어느새 나타난 음악 변! 음악 변, 서 선생에게 그의 핸드폰을 건넨다. 당황한 유리, 쪼르르 음악 변 등 뒤에 가 선다.
서 선생, 내 핸드폰을 이 사람이 왜? 의아해하며 받아드는데, 음악 변, 어디서 생긴 오만함일까, 도전적인 눈빛으로 그를 쏘아본다. 음악 변 뒤에 선 유리, 역시 그를 노려본다. 서 선생, 당황스럽다.

머리가 복잡해진 종희, 핸드폰을 꺼내 미숙에게 전화 건다. "따르릉" 통화 연결음, 계속된다. 미숙, 계속 도망친다.

서 선생 목소리

미숙아! 양미숙!

96
원성여중 옥상(오전)

"따르릉, 따르릉" 통화 연결음, 계속된다. 옥상 문, 활짝 열리며 시뻘건

얼굴의 미숙, 난간을 향해 뛰어간다.

서 선생 목소리

미숙아!

97
초원(오후): 미숙의 10년 전 과거

종희의 통화 연결음, 계속된다. 10년 전, 미숙의 과거가 펼쳐진다. 저 멀리 기념사진을 찍기 위해 대열 맞춰 선 여고생들. 여고생1, 그 대열을 향해 뛰어가고 있다. 학생들, 여고생 1을 향해 손짓한다.

서 선생 목소리

미숙이 어딨니?

학생들, 뒤늦게 달려온 여고생 1을 반갑게 맞이하며 자리 만들어준다. 사진사, 인물들을 가로 앵글로 잡은 상태. 대열 맨 끝에 뚝 떨어져 우뚝 선 19살 미숙이 보인다. 인물들 후경으로 뻗은 길을 보기 좋게 프레이밍 하고 싶은 사진사, 가로 앵글과 세로 앵글을 반복하며 망설이다가 결국 후경의 뻗은 길을 살릴 수 있는 세로 앵글로 결정한다. 덕분에, 19살 미숙, 앵글 프레임에서 잘려 나간다.

사진사

(미숙을 향해 손가락질하며)
학생! 거기 서 있으면 짤린다!

움찔. 대열 뒤로 쏙 사라지는 미숙, 뒷줄 학생들 사이에 껴보려 시도해보지만, 학생들, 팔짱 꼭 낀 채 꿈쩍도 않는다. 미숙, 금세 포기하고 돌아선다.

서 선생

근데, 미숙이 어딨니?

돌아선 미숙, 걸음을 멈춘다.

아이들

오늘 안 왔는데요!

서 선생

(주위를 둘러보며)
미숙이 분명히 왔는데?!

우뚝 선 미숙, 새빨개져 있다.

사진사

자, 그럼 찍습니다…

미숙, 미친 듯이 대열 속으로 달려든다. 다시 한번 끼어보려 애쓰지만, 학생들, 팔꿈치로 미숙을 매정하게 밀어낸다.

사진사

하나,

맨 앞줄에 서 있는 서 선생, 두리번댄다. 아이들 틈바구니에 낀 19살 미숙, 두 눈 질끈 감더니 쭈그려 앉는다.

사진사

하나, 둘,

대열 맨 뒤, 혼자 쭈그려 앉은 미숙, 바짝 긴장 상태다.

사진사

하나, 둘, 셋!

미숙, 한 호흡에 점프! 풀쩍 도약했다가 툭, 하고 땅으로 쓰러진다. 아이들 와~ 박수치면서 해산한다. 바닥에 쓰러진 미숙, 아이들 발에 차인다.

INSERT. 10년 전 수학여행 단체 사진. 사진 속, 맨 앞줄의 젊은 서 선생, 뒤돌아보고 있다. 서 선생의 시선이 닿은 자리 맨 뒷줄, 19살 미숙의 얼굴이 톡 튀어 올라와 나란히 자리 잡았다.

미숙 목소리

그. 때, 나는 어디 서 있었게~요?

98
원성여중 옥상(오전)

통화 연결음, 계속된다. 시뻘건 얼굴의 미숙, 옥상 난간에 멍청히 서있다. 수업 시작종 울린다. 미숙, 되돌아간다.

99
중국집 룸(저녁)

통화 연결음, 계속된다. 중국집 ‹연경›의 고급 룸 안. 종희, 매우 심각한 얼굴로 미숙과의 전화 연결을 시도하고 있다. 종희, 폴더를 닫자, 통화 연결음, 끊어진다.

테이블의 중앙 회전판, 갖가지 중화요리들이 놓여있다. 종희, 서 선생을 뚫어지게 노려보고 있다. 서 선생, 자기 앞 접시에 음식을 덜어 은교 앞으로 돌려준다. 종희의 등 뒤, 룸의 통창밖으로 매서운 바람이 몰아치는 가운데, 간이침대를 비롯한 여행용 가방을 끌고 지나가는 미숙이 보인다.

100
이태리 음식점 밖(저녁)

음식점 통창을 통해 식사 중인 유리와 음악 변이 보인다. 음악 변, 스파게티를 돌돌 말아 유리 입에 넣어준다. 유리, 낼름 받아먹으며 귀여운 미소 지어 보인다. 매서운 겨울바람이 몰아치는 거리. 모두 두꺼운 외투에 목도리를 둘렀다. 그 가운데, 양미숙, 간이침대를 비롯한 여행용 가방을 끌고 힘겹게 지나간다.

101
이태리 음식점(저녁)

주방, 스테이크 접시가 나가면, 스파게티를 먹는 유리 보인다. 문득 씁쓸한 표정이 스치는 유리, 핸드폰을 꺼내 문자를 치기 시작한다. 지이잉~!
서 선생 핸드폰 문자 수신 진동 소리.

102
중국집 룸(저녁)

선생님, 행복하세요… — 이유리

문자 확인한 서 선생, 안색 변한다. 은교와 종희, 신경 안 쓰는 척.
서 선생, 핸드폰을 다시 넣으려는데, 또 문자 도착한다. 눈치 보며, 다시 문자 확인하는 서 선생.

너무 바쁘셔서 저한테 전화 못 하는 거 맞죠? — 양미숙

서 선생, 헉! 은교, 안색 변함과 동시에 종희, 표정 일그러지더니 핸드폰을 꺼내 문자 치기 시작한다.

103
건물 복도, 피부과 철문 앞(저녁)

피부과 병원 문 닫혀 있다. 문 옆, 미숙의 간이침대를 비롯한 여행용 가방, 서 있다. 안절부절 미숙, 통화 중이다.

고객센터 안내원 소리
죄송합니다, 고객님. 한 번 보내신 문자는 발신 취소가 불가능하십니다.

미숙, 전화 끊더니 미친 발광 한다. 이 때, 띵동! 문자 수신 알람 울린다.
미숙, 바로 확인, 표정 굳는다.

어제, 아빠랑 이유리랑 같이 있었던 게 분명히 맞는 거죠?
선생님! — 서종희

또 다시, 띵동~! 문자 수신 알람.

서종희님이 친구위치 찾기 허용을 요청 →
연결하시겠습니까? (NATE 키)

시뻘건 미숙, 갑자기 서러움이 밀려온다. 신음하며 빛의 속도로 문자를 치기 시작한다.

104
중국집 룸(저녁)

바짝 긴장한 종희, 핸드폰을 쥔 채 미동도 없다. 지이잉~! 수신 진동음. 종희와 은교, 움찔! 동시에, 서 선생을 본다.

도대체제가뭘잘못한거죠? — 양미숙

탁. 젓가락을 내려놓는 은교, 차가운 시선으로 서 선생을 바라보며,

은교

서종철아, 누나 피곤하거든?

서 선생, 참담한 표정으로 핸드폰 배터리를 분리해 테이블 위에 올려놓는다. 종희, 울컥! 일어나 나간다.

105
이태리 음식점(저녁)

탱! 유리와 음악 변, 와인 잔 부딪친다. 유리, 핸드폰 울린다. 단번에 원 샷. 하고 핸드폰 받는 유리. 음악 변, 후다닥. 유리의 잔에 와인을 채운다.

괴물 목소리

유부남이랑 자니까 좋냐?

유리

예?!

헉! 음악 변을 째려보더니 핸드폰 들고 나가는 유리.

106
이태리 음식점 밖(저녁)

벌컥. 밖으로 나오면서 다급하게 통화하는 유리.

유리

변 선생님이 유부남이에요?
여보세요? 여보세요??

통창 너머 보이는 변 선생, 준비해두었던 반지 케이스를 꺼낸다.

107
중국집 후문(저녁)

통화 중인 종희, 고개 갸우뚱.

종희

…변?
(소리 버럭)
우리 학교 음악 변?

종희 너머 중국집 후문, 보인다. 주방장과 인부 두어 명, 후문 앞에 주차 된 '성덕 냉동' 탑 차에서부터 식자재들을 옮기느라 소란스럽다.

108
이태리 음식점 밖(저녁)

괴물 목소리 (종희)

넌… 변 선생이랑 잔거냐?

통화 중인 유리, 자기 입을 틀어막으며 괴로워한다. 유리 주변, 음식점을 드나드는 사람들로 복잡하다.

109
중국집 후문(저녁)

종희

그럼, 서종철은 누구랑 잤지?

110
이태리 음식점 밖(저녁)

유리

(목소리 톤 날카롭게 갈라지며)
서 선생님이 누구랑 잤어요?

지나는 사람, 유리를 거칠게 밀어낸다. 유리, 사람들에게 휩쓸려 휘청.

괴물 목소리(종희)

(윽박지른다)
너랑 잔 거 맞잖아!

유리

아니, 난 변이랑 잤다니까!!

유리, 또 다시 자기 입 틀어막으며, 머리를 쥐어뜯는다. 지나던 사람들, 유리를 힐끔. 쳐다본다.

111
중국집 후문(저녁)

종희

거짓말 하지 마! 니네 둘이 잤다는 증거가 있어!

112
이태리 음식점 밖(저녁)

유리

(발을 동동 구르며)
나는 '서'랑 안 잔 게 아니라 못. 잤.다.니까요!
아, 나 진짜 열 받네!!!
나는, 그 사람 핸드폰 밖에 못 봤어!
음악 변한테 물어보세요!

113
중국집 후문(저녁)

종희

(당황하며 소리 버럭)

니가 서종철 만나러 나간다고 말 한 건 사실이잖아!

114
이태리 음식점 밖(저녁)

유리

(더 크게 소리 버럭)

누가 그 말 안 했대?

근데, 내가 도착했을 땐 없었어!

그리고, 나는 분명히 다시 말했어,

그 사람 못 만났다고!

양 언니한테 물어보면 될 꺼 아냐!

(갑자기 표정 굳는다)

근데… 너… 누구… 세요?

115
중국집 후문(저녁)

종희

난 서종철과 아주 아주 가까운 사이다, 어쩔래?

116
이태리 음식점 앞(저녁)

유리

(헉!! 주눅 든 얼굴로 조심스레)

…혹시… 사모… 님… 이세요?

117
중국집 후문(저녁)

종희, 실소 터진다.

118
이태리 음식점 밖(저녁)

유리

(갑자기 박수 친다)
아~! 사모님께서 양 언니 얘기를 앞만 듣고 오해하셨구나!
제가 분명히 다시 말했거든요, 못 만났다구…
(질책한다)
근데요 사모님, 양 언니 그 말만 듣고 그게
증거라고 우기시면 곤란하죠…
어차피 어젯 밤에 양 언니는,
저랑 같이 있었던 것도 아니고,
서 선생님이랑 같이 있었던 것도 아니고,
자기 아버지랑 같이 있었는데 언니가 뭘 알겠어요.

119
중국집 후문(저녁)

중국집 후문, 덜컹. 잠기고 어두워진 공간. 탑차 후진한다. 탑차 후진 경고 벨, 들리기 시작한다.

종희

… 양미숙 아버지는 돌아가셨잖아?

120
이태리 음식점 밖(저녁)

유리

저도 그런 줄 알았는데요, 아직 안 돌아가셨대요!

121
원성여중·고 교문(오전): 종희 회상

씬 95 그때 그 순간. 시뻘건 얼굴의 미숙, 당황한다.

미숙

어… 그거 뻥이었어.

122
중국집 후문(저녁)

탑차 후진 경고 벨, 점점 가까워진다. 종희 얼굴, 탑차 비상등에서 나오는 빛이 조금씩 닿기 시작한다.

종희

(당황한다)
거짓말하지 마!

123
이태리 음식점 밖(저녁)

"거짓말" 이라는 말에 마음 상한 유리, 종희의 말을 끊으며 쏘아붙인다.

유리

무슨 말씀이 그래요, 사모님?
그럼 뭐, 양 언니 아버지가 진짜 돌아가시기라도 했단 뜻이에요?!!

124
중국집 후문(저녁)

탑차 그림자, 종희를 향해 엄습해온다.

종희

당연하지!!

(앙칼지게 질책한다)

양 언니가 왜 그런 뻥을 치겠어요, 양 언니도 사람인데!

두 사람 침묵, 흐른다.

125
이태리 음식점 밖(저녁)

유리, 핸드폰을 귀에 댄 채 침묵한다.

126
중국집 후문(저녁)

종희, 무어라 입을 열려다 만다.

127
건물 복도, 피부과 철문 앞(저녁)

쭈그려 앉은 미숙, 핸드폰만 꼭 쥔 채 미동도 없다.

128
이태리 음식점 밖(저녁)

유리, 무어라 입을 열려다 만다. 점점 울음이 터질 듯한 얼굴로 바뀐다.

129
중국집 후문(저녁)

탑차 그림자, 종희의 얼굴 위로 짙게 드리워지며 탑차가 코앞까지 다가온다. 탑차의 비상등 노란빛이 종희의 얼굴을 가득 물들인다. 한참 후, 유리 다시 말문을 연다. 영 확신 없는 목소리.

제가 생각해도 뻥이 좀 심하다 싶긴 해요…
근데, 그게 뻥이 아니라면,
양 언니가 돌아가신 아버지랑 같이 있었단 얘긴데,
그건 말이 안 되잖아요?
근데, 그렇다고 저랑 같이 있었던 것도 아니거든요.
(점점 목소리 떨린다)
그럼, 결국 서 선생님이랑 같이 있었다는 얘긴데…?

130
원성여중·고 교문(오전): 종희 회상

씬 26 그때 그 순간. 유리의 머리 스타일을 한 미숙, 시뻘게진 얼굴로 구덩이 안에 주저앉아 중얼댄다.

미숙

이유리, 죽어버렸으면 좋겠다!

131
이태리 음식점 밖(저녁)

유리

(울음이 터질 듯한)
그래서 말인데요, 사모님, 양 언니 아버지는 살아계셔야 돼요

132
중국집 후문(저녁)

묵음. 탑차의 그림자 속에 갇힌 종희. 노란 비상등이 들어올 때만 얼굴, 드러난다.

133
서 선생의 집, 복도식 아파트 복도(이른 아침): 종희 회상

씬 94 그때 그 순간. 현관 앞. 초췌한 서 선생, 고개 푹 숙인 채 진심을 다한 한 마디.

서 선생

사랑해, 여보.

134
중국집 후문(저녁)

부웅- 발진음과 함께 탑차 출발한다. 종희의 얼굴에 붉은빛이 팍! 닿으면서, 종희, 놀란 눈을 뜬다.

135
원성여중·고 창고 밖(점심시간): 종희 회상

씬 68 그때 그 순간. 종희를 무등 태운 미숙의 시뻘건 얼굴에 음흉한 미소 떠오른다.

미숙

(감격에 겨운)

고맙다, 종희야!

136
이태리 음식점 밖(저녁)

유리

(떨컥. 전화 끊기는 소리)

여보세요? 여보세요? 사모님?

137
중국집 룸(저녁)

묵묵히 식사 중인 서 선생과 은교. 은교, 전화 받는다. 여 종업원, 차례로 음식을 덜어주며 일일이 음식에 대해 설명하기 시작한다. 서 선생, 기계적으로 고개 끄덕이며 음식을 먹고 있다.

은교

(전화를 받으며)
성은굡니다.

괴물 목소리(유리)

(다짜고짜 소리 버럭)
전화를 걸었으면, 상대방이 끊을 때까지 기다리는 게 예의 아냐?
그렇게 끊으면 뭐, 내가 뭐, 다시 못 걸까봐?

은교

너, 누구니?

괴물 목소리(유리)

넌 양미숙한테 속고 있어!
이유리는 서종철이랑 안 잤어!

은교, 통화 소리가 밖에 샐까 재빠르게 수신볼륨을 줄인다.

괴물 목소리(유리)

서종철은 양미숙이랑 잤어!

여 종업원의 도움을 받으며 말없이 식사 중인 서 선생.

138
이태리 음식점 안, 컴퓨터 앞(저녁)

유리

내 처음부터 두 사람, 수상하다 생각했어!
같은 직장 선. 후배면서,
뭘 데리러 오라 그러질 않나, 데려다 주라 그러질 않나,

모니터, 원성여중·고 홈페이지, 교직원 비상 연락망, 종희의 생활 기록부, 네이버 검색창, 은교의 벨리 댄스 학원 홈페이지까지, 여러 개의 창이 겹겹이 떠 있다. 직원 계산대 아래에 쭈그려 앉아 고개를 모로 돌린 채 핸드폰 통화 중인 유리, 이를 갈며 열변을 토한다.

유리

하긴, 사제지간이 더 짜릿하고 흥분되겠지!
(달칵. 은교, 전화 끊어버린다)
여보세요? 또 먼저 끊니? 여보세요?

유리, 계산대 밑에서 벌떡 일어나 머리를 쥐어뜯으며 책상을 내리친다.

139
중국집 룸(저녁)

핸드폰을 끊은 은교, 차분하다. 서 선생의 앞 접시에 음식을 덜어주며, 따뜻한 한 마디.

은교

식기 전에 얼른 드세요, 여보.
… 근데, 종희는?

언제 나갔지? 서 선생, 고개 갸우뚱.

140
중국집 후문(저녁)

적막한 어둠 속. 핸드폰을 꼭 쥔 채 쪼그려 앉은 종희, 깊은 생각에 잠겨있다.

141
건물 복도, 피부과 철문 앞(저녁)

디졸브. 쭈그려 앉은 미숙, 핸드폰 음성 사서함 확인 중이다.

×월 ××일 저녁 9시 33분, 서. 종. 희. 님이 남기신 메시지입니다. 삐-
나 방금 이유리랑 통화했어.
너, 계속 전화 안 받으면, 나 진짜 이상하게 생각한다, 양미숙!

페이드아웃.

142
건물 복도, 피부과 철문 앞(오전)

페이드인. 철문, 열려 있다. 철문 앞에 선 미숙, 기력이 쇠해 퀭한 몰골로 세상 다 끝난 표정이다. 병원이 있던 자리, 파티용품점 공사가 한창이다. 미숙, 때마침 지나던 경비원을 붙들고 늘어지며,

미숙
(울먹이며)
아저씨, 여기 있던 피부과 병원 어딨어요?

경비
지난주에 이사 갔는데?

미숙
어… 디로… 갔는데요?

경비
그걸 내가 어떻게 알아?

미숙
(시뻘게진 얼굴, 쭈르륵 눈물 한 줄기)
… 그럼 나는?

경비
피부과 병원 요 옆에도 두 개 있고, 길 건너에도 세 개나 있어, 아가씨.

고개 숙인 미숙, 핸드폰이 으스러지도록 꽉- 쥔다.
닭똥 같은 눈물이 후두둑.

미숙

… 그걸 어떻게 다시 처음부터 설명해요, 아저씨…

미숙, 긴 생머리에 가려 얼굴이 보이지 않는다. 꺽… 꺽… 흐느끼는 소리만.

143
몽타쥬(오전): 원성여중·고 축제 날

‹원성여중·고 제 100회 하나 되는 우주잔치› 축제날. 학교 전체가 벌써부터 들뜬 분위기.

몽타쥬 1. 매화반 교실

축제 공연 준비로 잔뜩 어지럽혀진 교실 안. 매화반 아이들, 리본 달린 똑같은 합창복을 입고 연습 중이다.

몽타쥬 2. 대강당

축제 준비에 한창인 아이들.

몽타쥬 3. 원성여중·고 교문

들뜬 모습으로 등교하는 아이들. 그 틈에, 학교 안으로 들어오는 은교, 보인다.

삼인조 1 목소리

양미숙 선생님이요?

144
원성여중·고 복도(오전)

축제 분위기, 물씬 풍기는 복도. 다양한 종류의 화려한 의상을 갖춰 입은 여학생들이 끼리끼리 모여 "무한대야" 를 준비하고 있다. 은교, '비구니, 여자 교무, 수녀 복장을 한 3인조 여성 댄스 그룹' 여중생 무리와 얘기를 나누고 있다. 여중생들, 고개 갸우뚱.

삼인조 2

우리 학교에 그런 선생님은 없는데요?

아이들, 끄덕끄덕. 여자 교무와 똑같은 한복에 쪽 찐 머리를 한 햄스터, 천하장사 소시지를 먹으며 계속 중얼댄다.

햄스터

(무심하게)

자지깔까, 자지깔까, 자지깔까…

삼인조 1

아~ 혹시, 그 전따랑 사귀는 빨갱이가 양미숙인가?

145

원성여중·고 교무실(오전)

종희, 미숙의 뺨을 철썩! 때린다. 미숙, 한쪽 뺨을 만진 채 얼어붙었다.

삼인조 2 목소리

아… 그 전따 애인!

146

원성여중·고 복도(오전)

은교

(예민하게)

…전따 애인이 무슨 말이지?

147

원성여중·고 교무실(오전)

씬 145 연결. 얼어붙은 미숙과 종희. 교사들, 벌떡 일어섰다. 그 중, 음악 변도 보인다.

삼인조 1, 2 목소리

전교 왕따의 애인이요.

148
원성여중·고 복도(오전)

은교, 말문이 막힌다. 참담한 목소리로,

은교

…서종철 선생님이 전교 왕따니?

삼인조 1, 2

아뇨. 전따는 국어 딸 서종희라고 그런 애가 있어요.

미묘하게 표정 굳는 은교.

햄스터

국어랑 전따랑 전따 애인이랑 어떤 여자 선생님이랑
자지깔까 하는 거 봤는데.

은교

(다그친다)
그게 무슨 말이야?

햄스터

(겁먹었다. 개미만 한 목소리로)
말하면 안 되는데…

은교

(무섭게)
넷이 자지깔까 했다는 게 무슨 말이야?!

겁먹은 햄스터, 도망친다. 은교, 재빠르게 햄스터를 쫓아 몇 걸음 만에 잡는다.

149
원성여중·고 교무실(오전)

씬 147 연결. 미숙, 꿈쩍도 않는 종희를 잡아끌며 교사들을 향해 머리 조아린다.

미숙

죄송합니다, 죄송합니다…

미숙, 억지로 종희를 끌고 나가려는데, 두 사람, 동시에 우뚝. 걸음 멈춘다. 문 앞, 겁먹은 햄스터, 미숙을 손가락으로 가리키며 등 뒤의 은교를 돌아본다.

은교

(미숙에게)

저녁반 이유리 씨…?

종희, 황당한 얼굴로 미숙을 올려다본다. 고개 숙인 미숙, 시뻘겋다. 이때, 들리는 이유리 목소리.

유리

(도전적인)

왜요, 사모님!

미숙, 시선 떨군 채 움찔. 교무실 뒷문으로 막 출근한 유리, 서 있다. 유리, 이들을 향해 걸어온다.

유리

알아서 다 모이셨네!

은교, 표정 굳는다. 맞대응 자세로 유리를 향해 다가간다. 은교와 유리, 미숙을 사이에 두고 마주 선다. 문득 고개 든 미숙, 헉! 은교, 돌아본다. 문 밖, 서 선생과 햄스터, 서로 타이밍을 맞추지 못해 좌로 갔다 우로 갔다를 반복하고 있다. 서 선생, 시선은 은교와 무리들을 향해 고정된 상태. 정신없어 보인다. 에라 모르겠다. 서 선생, 몸을 홱. 돌려 도망치는데,

은교

내가 더 이상 품위유지를 못 하겠다!

은교, 황급히 나간다. 멀뚱히 남은 미숙, 종희, 유리. 유리, 갑자기 미숙의 뺨을 휘갈긴다.

150
원성여중·고 교무실 밖 복도(오전)

은교, 도망치는 서 선생을 단숨에 잡는다.

은교
나랑 얘기 좀 하자!

서 선생보다 앞서 도망치던 햄스터, 갑자기 걸음 멈추더니 울음 터뜨린다. 축제 화장을 한 마스카라 때문에 검은 눈물을 흘리는 햄스터. 맞은편, 똑같은 복장과 머리를 한 여자 교무 섰다. 햄스터를 무섭게 내려다보는 교무, 조용히 쪽 찐 머리를 풀기 시작한다. 열린 문밖, 축제 복장의 학생들, 일순간 우와-하며 지나간다.

151
원성여중 어학실(낮)

은교, 교단에 서 있다. 칸막이로 나눠진 책상 앞줄. 종희, 미숙, 유리, 서 선생, 나란히 앉아 있다. 미숙의 부은 양 뺨엔, 종희와 유리의 손자국이 남아 있다.

유리
그렇다면, 제가 생각을 좀 해봤는데요,
지금까지 양 언니는,
종희 학생한테는 내 욕 하고,
나한테는 서 선생님 욕 하고,
사모님한테는 내 욕 하면서, 치밀하게 수를 써 왔잖아요.

미숙, 두 눈 부릅뜬 채 앉아 있다.

유리
(미숙을 향한 의심의 눈초리)
그래서 말인데요, 그 괴물 전화도 양 언니가 한 게… 아닐까요?
자기가 서 선생님이랑 잤다는 사실을 저한테 알려주려 구요!

은교를 똑바로 바라보고 앉은 유리. 미숙, 유리를 째려본다.

은교

아니, 왜?

유리

(확신에 차서)

저한테 자랑하려구요!

은교

… 그런 복잡한 방법으로 자랑을 한다구?

종희

(참다못해 대뜸)

그 전화는, 내가 한 거야!

그날 아빠가 이유리랑 외박한 줄 알고.

(무심하게 덧붙인다)

난 둘이 잔 줄 알았지.

은교

(한숨 푹-)

모두 헤드폰 써 주세요.

일동, 책상에 놓여있던 어학용 헤드폰을 집어 든다. 은교, 눈앞에 놓인 사운드 스위치 버튼을 차례로 누른다. 종희의 책상은 여전히 'OFF', 나머지 책상은 'ON'. 종희의 헤드폰만 소리 차단된다.

은교

괜찮아. 병만 안 옮겨 오면 돼.

(서 선생과 미숙, 고개 푹-)

… 좋았니?

서 선생

나빴어.

은교, 미숙을 흘끔 본다. 미숙, 눈물이 그렁 맺힌다.

은교

근데, 넌 왜 이유리 좋아하면서 양미숙이랑 잤지?

서 선생

당신이 이혼 얘기 꺼낸 날, 유리 선생하고는 바로 끝냈었어, 여보.

유리

(서 선생을 째려보며 발끈)
그게 아니죠!
선생님은 그 후에 더 깊은 관계를 원하셨잖아요!
(미숙과 종희, 동시에 헉!!)

은교

더 깊은 관계라니?

유리

(당황하며)
더 깊은 관계가… 그런 깊은 게 아니구요,
선생님이 밤새도록 깊~은 대화를 요구하시니까…
제가 얼마나 괴로웠는데요,
잠도 못 자고!

미숙, 종희

웃기시네!!

종희

(벌떡 일어나 따진다)
너 때문에 우리가 잠을 못 잤어, 우. 리. 가!!
쫌만 늦게 들어와도 난리치고!
해 떴는데도 한 시간만 더 하자 그러구!
쉬는 시간도 5분밖에 안 주고!

미숙

(벌떡 일어나 유리를 째려보며)
우리가 어떻게 그거 하면서, 애호박을 택배로 보내냐?!

종희

이 변태야!

유리

(사색이 되어 파티션 위로 고개만 빠꼼이 내민 채로)

종희, 미숙

(유리를 노려보며)

커진다! 커진다! 커진다!

유리, 휘청! 은교, 종희의 사운드 버튼을 껐다 켰다 반복한다. 당황하며,

은교

뭐야, 이래도 들리는 거 였어?

종희, 미숙, 유리

그런 기능은 원래 없어요!

저 구석에 서 선생, 책상에 엎드려 있다.

152
원성여중·고 대강당(낮)

축제 분위기, 무르익기 시작한다. 삼삼오오 모여 공연 대기 중인 아이들. 그 중, 똑같은 합창복을 입은 매화반 학생들도 보인다. 어깨동무를 하고 둥글게 원을 만들고 있는 매화반 학생들. 심각하게 회의 중이다.

반장

그래도, 우리가 리본 사건 때문에 서종희의 '공연할 권리'를 박탈할 순 없다고 생각해.

이혼한 부모님과 사는 학생들

(무척 곤란한 척)

그렇지만, 그렇다고 우리가 다 리본을 뗄 수는 없다고 생각해.

반장

(착한 표정)

그럼, 어떡하지, 우리 서종희도 사람인데?

153
원성여중 어학실(낮)

은교, 교단에 서 있다. 칸막이로 나눠진 책상 앞줄. 종희, 미숙, 유리, 서 선생, 나란히 자리에 앉아 있다. 유리, 책상에 엎어져 미동도 없다. 은교, 미숙을 차갑게 바라본다. 시뻘건 미숙, 은교를 쏘아본다. 팽팽한 기 싸움!

은교
(차분하게)
양미숙 씨는, 미성년자인 내 딸에게 그런 몰상식한 짓을 시켰고,
'이' 양에게는 매일 밤마다 그런 고통을 안겨줬고,
'이유리'라는 가명으로, 우리 학원에 등록해서 나를 염탐해왔고,
게다가, 술 취한 서종철과는 동침을 했어요.

미숙, 무슨 순교자 마냥, 두 눈 부릅뜬 채 미동도 없다. 저 멀리 앉은 유리, 파티션 위로 조심스럽게 손을 들더니,

유리
저랑 같이 사는 동안, 수도세, 전기세도 한 번 안 냈어요!

은교
(두 눈을 감고)
사람이 비상식적인 행동을 할 때는 그럴 만한 이유가 있겠지.
'양' 양도 사람인데!

미숙
(꾸벅)
고맙습니다.

은교
(두 눈 번쩍 뜨고 미숙을 바라본다)
자, 이제 얘기해 봐요.

미숙
(멍청한)
뭘요?

은교

왜 그랬지, '양' 양?

미숙, 움찔. 은교의 기에 눌리지 않기 위해, 언성의 톤을 유지하며,

미숙

일단, 짚고 넘어갈 게 있는데요, 사모님.
저는 매일, 종희랑 밤새고, 해 뜨면 곧장 영어 학원 갔다가,
낮엔 애들 가르치고, 퇴근하면 바로 벨리 가고,
밤 되면 다시 종희 만나느라…
(유리를 착. 째려보며)
쟤네 전기를 써 본 적도 없거든요?
수도세 문제도요.
사실, 저는 따로 씻을 시간이 없어서,
머리도 학교에서 감았단 말이에요!

미숙, 애써 당당한 척 어깨 쫙. 펴 보지만, 이미 주눅이 든. 은교, 문득 고개 갸우뚱.

은교

사람이 그런 스케줄을 소화하는 게 가능한가?
기본적인 수면과 섭식이 보장 안 되잖아.

미숙, 벌떡 일어난다. 애써 씩씩하게,

미숙

네! 잠은, 점심시간에 양호실에서 잠깐 자구요,

154

몽타쥬: 미숙의 일상

미숙 목소리

아침밥은 어차피 영어 학원 때문에 못 먹구,
점심엔 눈 붙여야 되니까, 쉬는 시간에 매점에서 먹구,
퇴근하고, 벨리 시간 맞춰 가려면, 저녁 먹을 시간이 없거든요.
그래서, 밤에 종희가 이것저것 싸 오는 거 같이 먹었어요.

몽타쥬 1. 양호실(점심시간)
나란히 놓인 모든 침대에 학생들이 자고 있다. 그 중, 한 침대, 자고 있는 학생 등 뒤에 등을 붙이고 누워 몸을 웅크린 채 자고 있는 미숙이 보인다.

몽타쥬 2. 영어 학원(새벽)
수강생들, 둥글게 원을 만들어 앉아 수업 중이다. 그 사이에 껴 있는 미숙, 눈을 뜬 채 졸고 있다.

몽타쥬 3. 학교 매점(쉬는 시간)
학생들 틈에서 우유와 빵을 전투적으로 쟁취하는 미숙.

몽타쥬 4. 벨리 학원(밤)
노트북 앞에 앉은 미숙, 종희에게 삶은 고구마를 먹여주고 저도 한 입 베어 먹는다.

155
원성여중 어학실(낮)

이것이 인간의 삶이란 말인가?! 푸석푸석한 피부와 볼륨 잃은 몸매, 영양 부족으로 손톱 끝은 갈라지고, 원형탈모 현상까지! 이미 총기 잃은 눈으로 사력을 다해 은교를 쏘아 본다. 은교, 차갑게 쏘아 붙인다.

은교

'양' 양이 사람이라면,
종희한테 미안해서라도, 어떻게 종희 아빠랑 그런 짓을 하지?

미숙 심장, 철렁! 할 말이 없다. 종희, 서슬 퍼런 눈으로 미숙을 째려보고 있다. 미숙, 머릿속이 하얘진다.

미숙

제가 미안한 줄 알면서, 잔 건 아닌 데요!
그렇다고 미안하지 않다는 거는 절대 아니에요!
그냥 전, 엘리베이터 안에서 느낌이 온 건데,
제가 이렇게 말하면, 사실 그 느낌이라는 게…
워낙 주관적이니까 신뢰가 안 생길 수 있거든요?
('양' 양의 논리가 방향을 잃고 있다. 은교, 묘한 미소 살짝)
근데, 왜 유리 선생 얘기만 다 들어주세요?

재는 맨날 '느낌적인 느낌'이라면서 말하는데?!
(갑자기 버럭)
그래! 뭐, 유리 선생은 괜찮은 사람이고, 나는 별룬가?!!!
그래! 나도 알아, 내가 별루라는 거!!!
내가 내가 아니었으면, 다들 나한테 이렇게 안 할 거면서,
(저 혼자 부르르 떨더니, 폭발적인 절규)
다들 내가 나니까 일부러 나만 무시하고!

아차, 내가 왜 이런 말까지 한 거지? 미숙, 죽고만 싶다. 어학실, 침묵만 흐른다.

서 선생
(벌떡 자리에서 일어난다)
여보… 우리, 집에 가서 얘기하자!

종희, 아빠를 따라 벌떡. 일어선다. 당황한 미숙, 황급히 달려와 종희의 손을 잡는다.

미숙
(애절하게)
종희야, 내 말 좀 들어줘…

서 선생
양 선생님, 이제 그만 하세요.

서 선생, 종희 손을 매몰차게 뺏어 미숙을 밀쳐내고 나간다.

미숙
어디 가요?! 내 말 안 끝났단 말예요!

이때, 스피커에서 안내 방송이 나온다.

방송 반 아나운서 목소리
무한대야 참가팀 18번.
무대 뒤로 와서 팀 이름 확인해주세요.
참가팀 18번, 서종희 학생과 양미숙 선생님,
무대 뒤로 와서 팀 이름 확인해 주세요.

종희

(사색이 된다)

니가 신청했어?

미숙

… 니가 한 거 아냐?

방송 반 아나운서 목소리

아, 죄송합니다. 18번 팀 이름, 확인됐습니다.

(잠시 주저한다)

아… 팀 이름은… 아…

종희, 잔뜩 긴장한 얼굴로 스피커를 본다.

방송 반 아나운서 목소리

찐따와 찐따 애인입니다. 죄송합니다.

종희

(눈물 그렁. 분노 가득한 고함!)

내가 미쳤어? 너 같은 찐따랑 애인하게?!

미숙

(멍청한 얼굴)

… 내가 찐따라고?…

156
원성여중·고 대강당(낮)

씬 152 연결.

매화반 학생 1,2

아, 분명히 전따와 전따 애인이라고 냈잖아….

아…닌가?

반장을 비롯한 매화반 아이들, 일제히 키득키득!

167
원성여중 어학실(낮)

종희, 스피커를 아작 낸다. 아작 낸 스피커를 바닥에 내동댕이치고는 서 선생 손을 잡아끌며,

종희

가자, 아빠!

문득, 평생을 이렇게 혼자 남겨질 것만 같아 무서워진 미숙, 서러움과 공포에 혼자 울컥-

미숙

저 사람이 날 건드렸어요, 재재재작년에!

미숙, 서 선생을 손가락질 하며, 좌중을 둘러본다. 서 선생, 입을 쩍 벌린다. 일대, 움찔. 미숙, 말을 뱉고 보니 자기도 당황스럽다.

은교

(손가락으로 세어본다)

… 4년 전에?

종희

(사색이 된다)

선생님을 건드렸… 다구요?

미숙

(당황한다)

… 어?

서 선생

(미숙을 노려보며)

너 미쳤어?! 내가 뭘 어쨌는데!

미숙

(울컥. 원망 가득한 눈빛)

… 나한테 그렇게 해 놓고, 지금 그 말이 나와요?

미숙의 모습, 정말 뭔가 있는 것 같다! 은교, 여태 보지 못한 날카로운,

은교

말 돌리지 말고 얘기해, 당장!

미숙

(당황한 나머지 버럭)

난 말. 못. 해!

종희

말 안 해주면, 우리 정말 끝이야!

내내 시뻘겋던 미숙, 제 색으로 돌아온다.

미숙

그럼, 우리 아직 안 끝난 거야?

미숙, 종희 팔을 덥석 잡아 끌어낸다. 은교, 그런 두 사람을 본다.

158

원성여중 어학실 복도 끝(낮)

철썩! 소리 함께 악! 하는 종희의 비명 소리. 시뻘건 미숙, 이번엔 자신의 왼뺨을 때리려는 듯, 다시 손을 치켜드는데, 종희, 미숙의 손을 덥석. 잡는다.

종희

치사하게 이게 무슨 짓이야?

미숙

내가 잘못했어. 날 용서하지 마.

종희

뭘 잘못했는데?

미숙, 고개 숙인다. 후두둑. 닭똥 같은 눈물, 떨어진다.

미숙

…전부 다!

종희, 왈칵. 눈물이 쏟아진다. 두 눈 질끈 감더니, 종희의 두 눈도 가려버리는 미숙, 소리 지른다.

미숙

울지 마, 종희야! 울지 마!
내가 다 말할게!
니네 아빠가 날 건드린 건 아니야!

종희

건드린 게 아니면 도대체 뭔데!

미숙

(떨리는 목소리)
그때는… 둘 다, 정말 진심이었어…

심장 박동 소리, 점점 커진다.

159
티코 안(늦은 밤):
미숙의 3년 전 과거: 뽀샤시 화면

미숙 목소리

재재재작년 연말회식 때 티코 안에서…

티코 뒷자리에 성인 4명이 구겨 탔다. 미숙, 창가에 앉아있고, 바로 옆자리엔 만취한 서 선생. 자리가 좁다 보니… 서 선생, 본의 아니게 미숙을 한 팔로 품에 안은 자세. 심장 박동 소리, 점점 커진다.

양 볼이 발그레해진 미숙, 바짝 긴장한 상태. 콩닥콩닥. 심장이 뛰기 시작한다. 서 선생, 어쩐 일인지 미숙의 귀밑머리를 옆으로 쓸어 넘긴다. 미숙, 철렁! 점점 얼굴이 달아오른다. 어찌할 바를 모르겠다.

저 혼자 심각하게 고민하던 미숙, 갑자기 두 눈 질끈 감더니, 서 선생의 무릎을 툭. 건드린다. 나름대로 의미를 둔 화답인 양! 서 선생, 이미 곯아떨어진 상태…

미숙
(수줍게 웃으며. 개미만 한 목소리)
걱정 마세요, 선생님…

160
원성여중 어학실 복도 끝(낮)

종희, 망연자실하다. 미숙, 혹시 자기가 덜 솔직했나 싶은 마음에, 두 눈 질끈 감고 다가선다. 종희의 귀밑머리를 쓸어 넘겨 보이며,

미숙
내 여기를 이렇게… 만지셨고,
(종희의 무릎을 의미심장하게 잡았다 놓아 보이며)
난… 여기를 이렇게 만졌어.
그랬더니, 그냥 자는 척하시더라…

고개 숙인 미숙, 앙상하게 말라 초라하기 그지없다.

종희
그게… 다냐?

미숙
어.

종희, 털썩 주저앉으며, 소리 내어 울기 시작한다. 미숙, 우는 종희를 보니 자기도 울음이 터진다.

미숙
(질질 울면서 종희 눈물을 계속 닦아낸다)
울지 마, 종희야… 울지 마…
내가 다시 들어가서… 엉엉… 솔직하게 다 말할게…
니네 아빠가 날 건드린 게 아니라, 그땐 둘 다 진심이었고… 엉엉…
실은, 나도 좋아했었다고… 엉엉엉
미안해…

종희

(울다 말고 흠칫. 정색한다)

뭔 소리야!

지금 저 상황에서, 그걸 말 하겠다구?

(자기 귀밑머리 옆으로 탁. 탁. 치며, 버럭)

뭐, 가서 이렇게, 뭐! 우리 엄마한테도 보여주게?

미숙

(훌쩍이며)

그게 사실이잖아…

이 여자, 대책이 안 선다. 시뻘건 종희, 미숙의 두 팔을 덥석 잡으며,

종희

선생님, 나 싫어졌죠?

종희, 간절하게 미숙을 바라본다. 미숙, 눈물 가득 고인 눈을 크게 뜨고, 모가지 비틀어질 정도로 고개 가로젓는다.

종희

(눈물 그렁)

그럼, 양미숙! 지금부터 내 말 잘 들어!

어학실 문틈으로 살짝 보이는 은교. 이 모든 광경을 듣고 있다! 은교, 만면에 섭섭함이 가득하다.

161
원성여중 어학실(낮)

미숙

그러니까… 재재재작년 회식 때 티코 안에서…

은교, 교단에 앉아 있다. 미숙, 은교 옆에 차렷 자세로 서 있고, 종희, 유리, 서 선생, 앞자리 책상에 앉아있다. 모두들, 미숙을 뚫어져라 바라본다. 시뻘건 미숙, 주저주저 말을 잇지 못하는데… 종희, 아무도 모르게 눈치를 준다. 빨리 얘기해!! 은교, 그런 종희를 예리하게 발견, 미숙과 종희를 주시하기 시작한다.

미숙

서 선생님도 기억하시겠지만, 그때…
(눈 질끈 감으며)
선생님이, 제 귀… 를 핥으시면서…

서 선생

(시퍼렇게 질린 얼굴)
… 내가?!!!

162
티코 안(늦은 밤):
모두의 상상: 뽀샤시 화면

서 선생, 시뻘게진 미숙의 귓불을 낼름! 혀로 핥는다.

미숙 목소리

귓구멍 안으로 선생님의 혀를… 넣다 뺐다 하셨구요…
제 귓볼을 쪽쪽 빠시면서…

서 선생, 미숙의 귀를 음란하게 희롱하며, 물고 빨고 한다. 차 안의 미숙, 눈을 질끈 감는다.

163
원성여중 어학실(낮)

넋 나간 서 선생. 은교, 유리, 동시에 귀를 마구 긁기 시작한다.

미숙

(비장하게)
너무나 로맨틱하게… 속삭이셨어요!

유리

(얼이 빠져 있다)
로맨틱… 하게요?

미숙

(서 선생을 외면하며, 허공에 대고)
너… 참… 맛있다!

종희

(기다렸다는 듯, 과장된 동작과 함께 비명)
아빠, 미워!!

서 선생

(자리에서 벌떡 일어나 절규한다)
난 그런 적 없어, 여보!

은교

잠깐! 생각 좀 하자.

은교, 차분히 미숙을 바라본다. 시뻘건 미숙, 은교의 시선을 외면한 채 먼 벽을 노려본다. 좌불안석이다.

은교

(무섭도록 냉정하게)
서종철! 넌 직장 동료를 성추행한 거야!
고소당해야 정신 차릴래?

예상치 못한 상황! 미숙, 엉겁결에 소리 버럭.

미숙

성추행은 아니다!

유리, 저건 또 무슨 항변이냐? 어처구니없다. 은교, 미숙을 노려보며, 엄하게 꾸짖는다.

은교

그게 성추행이 아니라구?
양미숙씨, 애정 표현과 성추행을 구분 못하나?

겁먹은 종희, 일어선다. 맞은편 벽만 뚫어지게 노려보는 미숙.

미숙

(다급하게 울부짖는다)

내가 애정 표현이라고 느꼈으면, 애정 표현인 거다!

서 선생, 울어야 할지 웃어야 할지 모르겠다. 유리, 미숙을 불쌍하게 바라본다. 짐짓 심각한 척.

은교

진짜 사랑하는구나!

미숙, 헉! 은교를 본다. 그 너머 일어섰던 서 선생, 털썩 주저앉는다. 매화반 아이들의 합창 소리, 터져 나온다.

164
원성여중·고 대강당(낮)

"1+1=무한대야" 열기, 뜨거워진다. 매화반 아이들, 무대에서 합창 공연을 하고 있다. 아이들, 환호한다.

165
원성여중 어학실(낮)

은교, 짐짓 침통한 표정으로 입 연다.

은교

일단 양미숙씨는 서종철을 깨끗이 잊도록 해요.

(미숙, 헉!)

나도 오늘부로 종철이랑 이혼을 할 테니까.

일어선 서 선생, 털썩 주저앉는다.

은교

종철이, 너는 콩밥 좀 먹어야겠다.

미숙, 종희

(사색이 된다)

왜요?!!

은교

(서 선생을 노려보며)
잘못을 했으면 벌을 받아야지!
양미숙 씨, 내가 변호사 비용 대줄 테니까, 직접 고소하세요!

미숙

(절박하게)
사모님!

종희

(절박하게)
엄마!

미숙, 종희

사실은 다 뻥이에요!

은교, 교단에서 내려와 미숙과 종희를 향해 다가간다. 엄격하게 다그친다.

은교

그게 만약 뻥이라면,
사제지간에 연합해서, 한 집안을 망칠 작정이란 결론인데,
그걸 누가 믿겠니, 아무도 못 믿지!

울화가 치밀어 오른 서 선생, 뒤 책상의 앞 유리창을 깬다. 분노에 찬 서 선생, 피를 흘리며 절규한다. 웅장한 음악 시작된다.

서 선생

사람이 살다 보면 그럴 수도 있는 거지! 사람인데!!
사람 마음이 어떻게 평생 똑같냐? 다 노력하는 거지!
노력하다가 힘들면 좀 쉬었다가 갈 수도 있는 거잖아!
그래, 내가 쉬다가 실수 좀 했다!
당신은 45년 평생 한 번도 실수한 적 없어?

유리

(눈물 그렁)
… 그럼, 선생님 저에 대한 것도 실수였어요?

서 선생

이 선생님, 제발 철 좀 드세요!
'실수'라는 말은 '조심하지 않아서 잘못했다' 는 뜻이에요.

내가 조심하지 않아서 이 선생님한테 마음이 흔들렸어요.
그게 그렇게 슬픈 얘기예요?
사람이 어떻게 평생 조심하면서 살아요?
그리고, 다들 조심하지 않는 순간에 마음 흔들리지 않나요?
그게 그렇게 나빠요?

서 선생, 유리를 바라본다. 눈물이 그렁 맺혀 있다. 서 선생, 무언가 유리에게 못다 한 말이 있는 것 같은데, 이내 시선 돌린다. 유리, 심장이 찢어지는 것 같다. 서 선생, 유리를 지나 미숙을 거쳐, 은교를 향해 다가간다,

서 선생

나는 15년 전, 병원에서 당신 처음 만났을 때도 최고로 큰 실수 했어.
그래서, 우리 종희도 태어나고 지금까지 잘 살아왔잖아.
그러니까, 여보, 이제 그만 하자, 제발!

이를 앙 물고 섰던 종희, 갑작스런 실소 터뜨린다.

종희

나도 알 건 다 알아, 내가 친딸이 아니라는 거!

계속 흐르던 웅장한 음악, 툭. 끊긴다. 엥? 이건 또 무슨 계획에 없던 발언이란 말인가?

은교, 서 선생

(동시에 종희의 손을 잡으며)
너, 우리 딸 맞아!

종희, 엄마 아빠의 손을 뿌리친다. 경멸의 눈초리로 훑어보며,

종희

거짓말하지 마!
어떻게 엄마가 온몸에 기브스하고 아빠랑 그걸 할 수 있어?!
내가 열심히 공부해 봤는데, 그건 불가능이더라! 불. 가. 능!

은교, 서 선생

(당황한 나머지 소리 버럭)
가능해!

어느새, 은교와 서 선생, 두 손 맞잡고 서 있다.

서 선생

사랑하면 다 가능해, 종희야.

은교, 흠칫. 서 선생을 바라본다. 서 선생, 고개 숙인다.

서 선생

여보, 그만 용서해줘.

종희, 이를 악물고 고개 숙인다.

은교

엄마가 이따가 가르쳐 줄게, 종희야.

종희, "엄마"라는 말에 뭉클. 은교에게 와락 안긴다.

종희

그동안 잘못했어요, 엄마!

서 선생과 은교, 종희 다시 모이자 말다툼이 시작된다. 서 선생의 "실수"라는 발언에 대해 말꼬리를 잡고 늘어지는 세 사람, 어쩐지 정겨워 보인다. 그들을 바라보는 미숙, 울음이 터질 것 같다. 이때, 나타난 유리, 미숙의 어깨를 감싸 안으며 울음 터뜨린다. 미숙의 어깨를 토닥이며,

유리

언니, 힘들죠…?
힘내요, 언니! 엉엉엉 나는 이제 언니 마음 알 것 같아…
미안해요… 언니…

미숙, 갑자기 터지는 울음 터진다. 왈칵! 29년간 참았던 서러움과 외로움을 다 토해내며 서럽게 울부짖는 미숙, 구멍 뚫린 저수지 마냥 통제가 안 된다. 미숙, 유리를 밀어 내려 하는데, 유리, 미숙을 더 꽉 안아준다. 미숙, 온 힘을 다해 유리를 떼어내고 엉겨 붙은 서 선생 가족을 향해 몸을 던진다. 혼자 남은 유리, 경악을 금치 못한다.

미숙

나두, 나두, 나두요!

(처절하게)
사모님, 나두 껴주세요!!!

은교, 미숙을 무섭게 바라본다. 그제야 정신 차린 미숙, 우물쭈물 눈치를 보며 입을 연다.

미숙
용서해…주세요…

일동, 어처구니없는데, 은교, 오호라~ 눈빛이 살아난다.

은교
뭘 용서해 달라는 거지, '양'양?
'양' 양은 우리 종철이를 고소하지 않겠다는 거예요?

미숙
(울음 뚝! 그치며)
네!!!

은교
앞으론 따라다니지도 않을 거고?

미숙, 대답 못 한다. 은교, 휘청~! 종희, 당황한다. 서 선생, 생존본능 상실 단계에 접어든다.

은교
(애써 침착하게)
그럼… 양미숙 씨는 원하는 게 뭐지?

미숙
(눈물을 닦아내며)
없어요…

은교, 다시 휘청~! 이 여자, 종잡을 수 없다! 애써 짜증을 억누르는 은교.

은교
그럼 뭘 어쩌자는 거야?

미숙

(쭈뼛쭈뼛)

… 아직 거기까지는 생각을 못 해봤는데요…

은교

유부남을 4년 동안 따라다녔으면서,

뭘 어쩌고 싶은지 생각도 안 해 봤다구?

미숙

(바보 같은 표정)

그동안, 제가 너무 바빠서요….

은교, 안광이 번뜩인다.

JUMP

은교, 교단 맞은편 복도에 의자를 놓고 앉아 있고, 종희와 서 선생, 은교의 옆 어학실 책상에 나란히 앉아있다.

은교

(거칠게 몰아붙이며)

나중에 딴소리 하지 말고, 여기서 정리합시다, 양미숙 씨.

어느새 교단에 앉은 미숙, 긴 머리를 하나로 묶어 교무의 헤어스타일처럼 틀어 올렸다.

은교

1번! 이대로 가정 파괴범이 된다,

2번! 깨끗이 털고 새 출발 한다,

결정하세요!

미숙, 겁먹은 얼굴이다. 은교, 묘한 회심의 미소.

은교

10분이면 생각할 시간 충분하지?

교단 구석에 의자를 놓고 앉은 유리, 이미 두 눈을 감은 채 명상 자세로 고개 끄덕인다.

미숙

(멍청한 얼굴)
무슨 생각으로 생각을 해요?

은교

(엄격하게)
시. 작!

미숙, 저도 모르게 두 눈 질끈 감는다. 째깍째깍… 초침 소리 점점 커진다. 최선을 다해 생각하기 시작하는 미숙. 페이드아웃. 어두운 화면 위로 여자 교무 목소리 들리기 시작한다.

여자 교무 목소리

전신에 힘을 완전히 빼시고 의식과 호흡을 단전에 모읍니다.
들숨은 천천히 단전까지 깊게,
날숨은 조금 짧고 약하게.

페이드인. 명상 자세의 미숙. 미숙의 왼손, 편안하게 무릎 위에 놓여있다. 미숙의 오른손, 핸드폰을 부서져라 쥐고 있다.

여자 교무 목소리

편안해진 호흡으로 내 마음을 바라다봅니다.
원래 어리석음이 없는 고요하고 편안한 내 마음을 바라다봅니다.
1번은 가정 파괴범
2번은 깨끗이 털고 새 출발.

명상 중인 줄만 알았던 미숙, 실은 시뻘건 얼굴로 무슨 생각을 하는지 두 눈 깜빡깜빡하며 서 선생만을 보고 있다.

여자 교무 목소리

바쁜 일상 속, 한 번 쯤 멈춰서서 자기의 마음을 들여다보는 일은
작지만 큰 여유를 가져다줍니다.

서 선생, 점점 불안해진다. 종희, 걱정스럽다. 은교, 내가 괜한 품위유지를 시도했나… 초조해지기 시작한다.

여자 교무 목소리

자, 1번은 가정 파괴범

2번은 깨끗이 털고 새 출발.

적막이 흐른다. 잔뜩 긴장한 미숙, 서 선생만 바라본다. 정확히 10분, 지났다.

은교

양미숙 씨, 결정했나?

서 선생, 미숙을 외면한다. 미숙, 핸드폰을 꼬옥- 쥐어본다. 크게 숨을 들이키더니, 개미만 한 목소리로,

미숙

저기… 먼저 질문이 하나 있는데요.
혹시, 저한테… 전화하고 싶으신 적 있으셨어요?

서 선생, 탄식의 한숨을 내쉰다.

미숙

아무 일도 없는데 '그냥'요.

서 선생

… 단 한 번도 없었다.

은교

(안도의 표정, 애써 숨긴다)
정말 그게 전부인가, 양양?

미숙, 절실하게 고개 끄덕인다. 피골이 상접한 몰골! 고작 그것 하나를 묻지 못해 이 지경까지 흘러왔다니, 참으로 안타깝다.

미숙

사실은… 그럴 거라고 생각했었어요.
… 근데, 저는 매일매일 전화하고 싶었어요… 그냥!

미숙, 그저 한순간이라도 사랑받고 싶고, 너무 사랑해보고 싶은 평범한 여자의 얼굴이다.

미숙
(은교를 향해)
저, 사모님, 2번! '새 출발'로 하겠습니다!

언제나 꼭 쥐고 다니던 핸드폰을 교단 위에 내려놓는다. 애써 웃어 보이는 미숙의 물기 어린 눈동자, 반짝 빛난다. 긴장이 풀린 은교, 어학실 책상 칸막이에 몸을 박는다. 서 선생, 벌떡 일어나 은교에게 간다.

방송반 아나운서 목소리
다음 참가팀은 찐따와 찐따 애인입니다.

종희, 벌떡 일어난다. 빠른 비트의 북소리가 시작된다.

166
원성여중·고 대강당(낮)

객석에서 환호하는 아이들.

167
몽타쥬(낮):
달리는 미숙과 종희

사운드, 빠른 비트의 북소리와 함께 아이들의 환호 소리, 그리고 미숙과 종희의 달리는 발소리만 가득하다.

몽타쥬 1. 어학실 문 앞
어학실 문, 벌컥 열린다. 종희, 미숙의 손을 잡고 튀어나와 미친 듯 달린다. 울음이 터질 듯한 미숙과 분노에 찬 종희.

몽타쥬 2. 학교 복도 바닥
달리는 미숙과 종희의 발.

몽타쥬 3. 대강당: 플래시 포워드. 슬로우
미숙과 종희, 대강당 무대를 향해 걸어간다. 점점 슬로우. 미숙과 종희의 뒷모습. 여 전사 같다. 아이들, 무대를 향해 열광하고 있다.

방송반 아나운서 목소리

찐따 팀, 어디 있습니까?

몽타쥬 4. 학교 복도

질질 끌려가는 미숙.

미숙 목소리

… 그냥 하지 말자, 종희야…

미숙을 끌고 가는 종희

방송반 아나운서 목소리

찐따 팀, 기권입니까?

종희, 연결 복도의 잠긴 문을 힘으로 열려 애쓴다. 미숙, 종희를 만류한다. 종희, 미숙을 끌고 반대 방향으로 뛰기 시작한다.

종희 목소리

다들 우리가 쪽팔려서 도망친 줄 알 거 아냐!

몽타쥬 5. 대강당: 플래시 포워드. 슬로우

무대 위, 화면에 깔리는 북소리에 맞춰 춤추는 댄스 동아리 아이들, 객석에 뒷모습을 보인 채 자지깔까 자세로 춤을 추고 있다. 즐겁고 신나는 표정. 객석의 아이들, 열광의 도가니.

몽타쥬 6. 학교 복도

달리는 미숙과 종희. 미숙, 종희 손에 잡혀, 질질 끌려가며 울먹인다.

방송반 아나운서 목소리

찐따 팀, 분명히 안 왔나요?

몽타쥬 7. 대강당

아이들, 지나치게 환호한다. 일제히 찐따 찐따!!!!

몽타쥬 8. 계단

뛰어 내려오는 미숙과 종희 발.

미숙 목소리

니가 생각하는 것처럼,
애들은 우리한테 관심 없어…

몽타쥬 9. 다른 계단

뛰어 내려오는 미숙과 종희 발.

종희 목소리

난 관심 있어!

몽타쥬 10. 대강당: 플래시 포워드.

무대에 나란히 선 미숙과 종희. 공연 소품인 중절모를 쓰고 있다.

몽타쥬 11. 대강당 현관 암막 커튼 뒤

씬 53과 흡사한 상황. 암막 커튼 뒤, 미숙과 종희가 서 있다. 살짝 열린 커튼 뒤로 활기찬 축제 현장이 보인다.

미숙

(시뻘게진 얼굴, 개미만 한 목소리로)
나는… 내가… 너무 챙피해.

몽타쥬 12. 대강당: 플래시 포워드.

몽타쥬 10의 연결. 무대 위에 선 겁먹은 미숙, 종희를 본다. 종희, 비장하게 미숙을 본다.

몽타쥬 13. 대강당 현관 암막 커튼 뒤.

몽타쥬 11 연결.

종희

(짜증 낸다)
아우, 나는 선생님이 하나도 안 챙피해요!

몽타쥬 14. 대강당: 플래시 포워드.

시선을 맞추는 미숙과 종희, 비장하다. 두 사람, 서로에게 시선을 거두고 객석을 바라본다. 객석을 꽉 채운 아이들. 강당의 조명, 꺼진다. 어둠 속, 스포트라이트 켜진다. 무대 위, 미숙과 종희, 어느새 등을 맞대고 콩쥐팥쥐 준비 자세로 서 있다.

종희 목소리

(눈물 그렁)

우리도 딴 애들처럼, 열심히 연습했잖아!

화면, 꺼진다. 미숙과 종희의 공연 사운드만 들리기 시작한다.

미숙 목소리

여러 가지로 고마웠소.

종희 목소리

저야말로 고맙습니다.

미숙과 종희의 공연 대사가 계속되면서 화면, 켜진다.

168
원성여중 복도(낮)

은교, 울면서 걷고 있다.

미숙 목소리

천만에

종희 목소리

아니 정말 고맙습니다.

은교 뒤를 쫓아가는 서 선생, 은교를 번쩍 안아 들고 복도를 걸어간다.
아이들의 야유소리, 들리기 시작한다.

미숙 목소리

무슨 말씀을.

종희 목소리

아니 정말 고맙습니다!

은교를 안고 걷고 있는 서 선생, 웃는지 우는지 잘 모르겠다.

미숙 목소리

원 별소릴 다 하는군.

종희 목소리

그런데….

169
원성여중 복도(낮)

유리, 핸드폰 통화하며 혼자 걷고 있다. 음악 변, 역시 핸드폰 통화하며 복도 모퉁이에서 나타난다. 유리, 음악 변의 팔짱을 꼭. 끼고 복도를 걸어간다.

종희 목소리

… 어째 떠날 마음이 안 나는데…

미숙 목소리

그게 인생이죠!

아이들의 야유 소리, 점점 커진다.

170
초원(오후): 미숙의 10년 전 과거

아이들의 야유소리, 10년 전 여고생들의 깔깔거리는 소리로 디졸브.

사진사

자, 찍습니다!

아이들 틈바구니에 낀 미숙, 두 눈 질끈 감더니 쭈그려 앉는다.

사진사 목소리

하나, 둘,

놀라운 점프력으로 도약하는 19살 미숙의 두 발!

사진사 목소리

셋

171
원성여중·고 대강당(낮)

‹고도를 기다리며› 공연 하는 미숙과 종희. 미숙, 종희를 업는다. 하늘을 향해 들어 올려진 종희. 화면 정지된다.

종희 목소리

그래도, 고맙습니다!

아이들의 야유소리, 가득하다. 객석에서부터 각종 물건들이 날라 오기 시작한다.

172
고속버스 안(오후)

씬 1 연결. 달리는 고속버스 안. 미숙, 정신없이 졸고 있다. 무슨 꿈을 꾸는지 눈물이 맺혀 있다.

종희 목소리

(킬킬대며)

아우, 전 애들이 그렇게 휴지까지 던져줄 줄은
진짜 몰랐어요!

미숙의 옆 자리, 종희 역시 정신없이 졸고 있다. 설마 같은 꿈을 꾸기라도 하는 건지 역시 눈물이 맺힌다.

미숙 목소리

(자신감 넘친다)

우리 진짜로 좀 괜찮았다니까!

173
원성여중 교문 앞 비탈길(낮): 과거

축제가 끝났다. 비탈길, 축제 복장의 아이들이 발 디딜 틈 없이 가득 채우고 있다. 아이들 틈에 섞여 나란히 걸어 내려가는 미숙과 종희가 보인다. 두 사람의 머리와 등 뒤에만 밀가루가 묻어 있다.

미숙 목소리

… 아… 난 이제 뭐 하면서 살지?

174
고속버스 안(오후)

씬 172 연결. 졸고 있는 종희의 손에 닳고 닳은 A4 용지가 쥐어져 있다. A4 용지, 대한민국의 모든 "박찬욱" 전화번호가 프린트 되어 있고, 마지막 하나를 제외한 나머지 "박찬욱", 빨간 줄이 그어져 있다.

175
피부과 병원 피부 관리실(오후)

피부과 전문의 박찬욱과 간호사, 입을 쩍- 벌리고 있다. 침대에 나란히 앉은 미숙과 종희. 시뻘건 얼굴의 미숙, 수줍은 미소 짓는다. 종희, 의사를 훑어보며, 대뜸.

종희

선생님, 결혼 하셨어요?

미숙, 몹시 부끄러워하며, 종희의 등짝을 퍽! 퍽! 때린다.

미숙

어우 야~~!!!!!

종희, 미숙에게 맞으면서, 대차게 버럭!

종희

아, 결혼을 했으면, 했다! 안 했으면 안 했다! 왜 말을 안 해요?

당황한 의사, 엉겁결에 고개 가로젓는다. 미숙, 벌떡 일어나 의사에게 다가가 선다. 시뻘건 얼굴, 눈도 깜빡이지 않은 채 저음의 카리스마!

미숙

난 니가 참 맘에 든다!

씩씩한 미숙. 미숙을 바라보는 종희, 흐뭇한 만면에 썩은 미소 짓는다.

경쾌한 엔딩 음악, 시작된다. 온몸을 기브스한 여자와 남자가 사랑을 나눌 수 있는 체위가 화면 가득 채운다.

THE END

part 2

이경미 감독의 열 가지 각주

‹미쓰 홍당무› 스틸 모음

글: 이경미

양미숙의 핸드폰 보신 분?

영화가 개봉한 지 12년 지났다. 최근에 공효진 배우가 얘기해줬는데 촬영 당시 내가 수도 없이 강조했던 디렉션이 있었단다. "효진 씨, 핸드폰을 꽉 쥐고 있어 주세요." 라는데 나는 기억 못 하지만 아마도 그랬을 것이다. 양미숙에게 핸드폰은 '그녀가 믿고 싶은 세상'과 연결되는 유일한 도구였으니까. 그래서 양미숙은 그 소중한 핸드폰을 정성을 다해 꾸몄다. 자세히 보면 촌스러운 꽃들이 잔뜩 그려져 있다.

뻔뻔한 큰 바위

양미숙과 서종희의 공연 장면을 유심히 보면 특별한 소품을 발견할 수 있다. 거대한 바위다. 이 바위는 무대 위로 던져지는 다양한 쓰레기들 틈에 뻔뻔하게 섞여 있다. 이것은 CG다. 실제로 그만한 크기의 바위를 던졌다가 사람이 잘못 맞으면 죽을 수도 있다. 아니, 그보다 먼저 크레인 장비 없이 저 바위가 무대 위로 던져진다는 것은 사실상 불가능하다. 그래도 우주선처럼 두 사람의 머리 위로 나는 커다란 바위를 그려 넣자고 했다. 그러니까 이 장면은 '죽을 위험을 무릅쓰고 전장에서 공연하는 두 사람'이란 말이다.

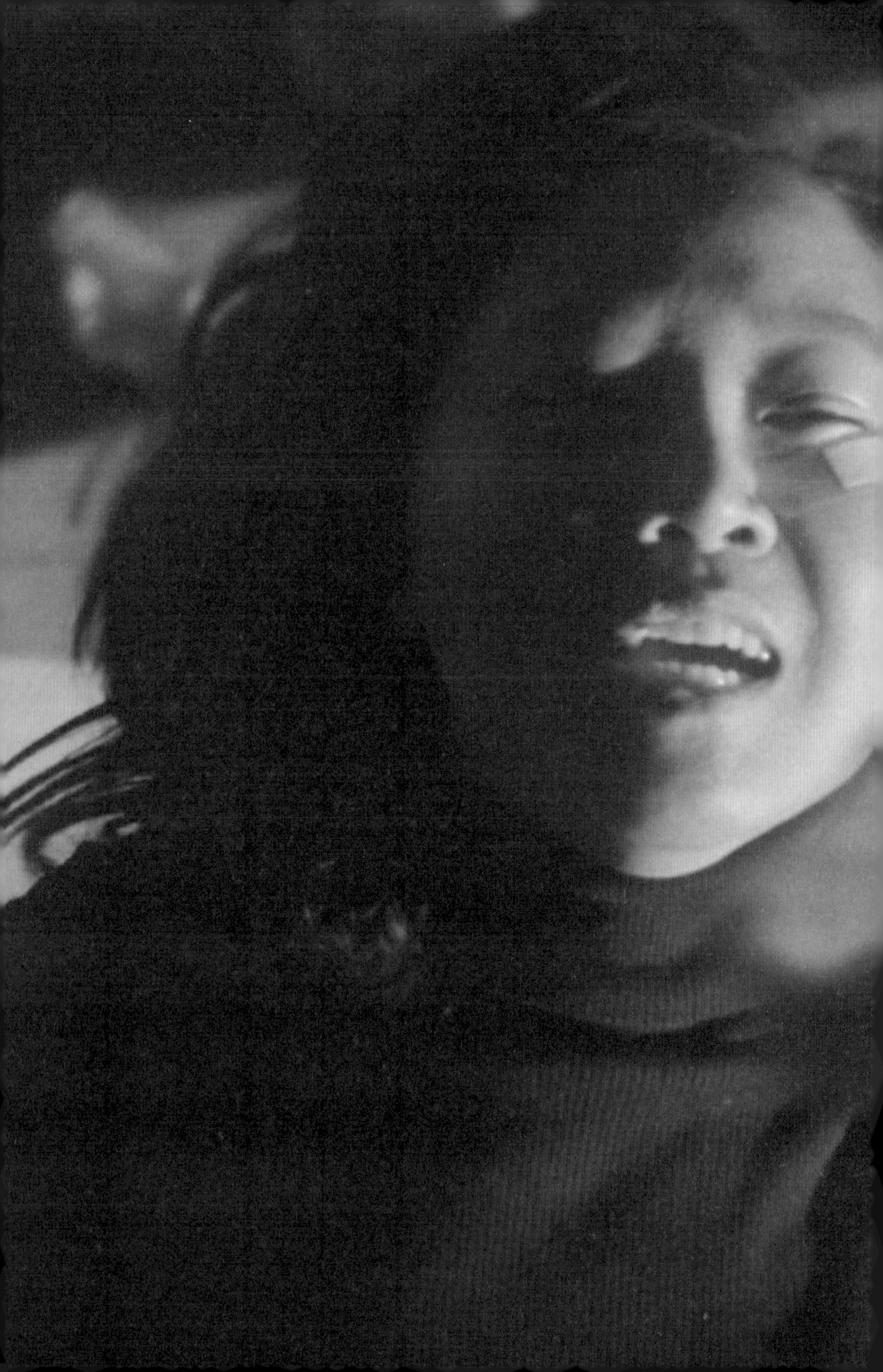

라미란 배우와 함께 할 때,

라미란 배우는 ‹친절한 금자씨› 스크립터 시절에 처음 뵀다. 이렇게 재미있는 분인 줄은 상상하지 못하고 캐스팅했다. 우리 촬영 현장에 검은색 한복 의상을 갖춰 입고, 소품으로 돋보기 안경을 쓰고 나타나셨는데 이런 교무 선생님이 있는 학교라면 진짜 이상한 일이 터져도 하나도 이상하지 않을 것 같았다. 내가 참 운이 좋았다.

'자지깔까' 시퀀스를 보면 난데없이 등장하는 여학생이 한 명 있다. 내가 '햄스터'라고 명명한 인물이다. 햄스터는 점심시간에 숨어서 낮잠을 자다가 '자지깔까' 소리 때문에 깨어난 학생이다. 이 인물은 원래 각본에 존재하지 않았는데 촬영장소 헌팅 중 우연히 마주친 어느 여학생에게서 영감을 받아 추가 수정했다. 우리는 그 당시 어느 중학교 체육실 창고를 둘러보고 있었다. 불이 없어서 안이 컴컴했는데 조용히 일어서는 검은 그림자. 구석에서 잠을 자던 여학생이 커다란 담요를 몸에 두른 채 부스스 나와 밖으로 나갔다. 낯선 어른들이 떼를 지어 웅성거리는데 눈길 한 번 주지 않고 담요가 걸어 나갔다. 그 친구가 우리 햄스터의 모델이다.

'자지깔까'는 내 전공이었는데,

나의 첫 대학 전공은 러시아어였다. '자지깔까'는 대학 입학하자마자 선배들에게서 가장 먼저 배운 러시아어다. 나는 전공과목을 별로 좋아하지 않았다. 그럼에도 불구하고 잘살아 보겠다고 모스크바 어학연수도 1년 다녀오고, 전공을 살려서 회사 생활도 3년 넘게 했지만 결국 다 때려치우고 영화학교에 다시 들어갔다. '나의 20대를 다 바친 기술과 이렇게 결별하는구나' 속이 시원하기도 했지만 한편으로는 부질없는 십 년이 허무했다. 〈미쓰 홍당무〉 각본을 쓰면서 '자지깔까' 장면이 떠오른 순간 얼마나 뿌듯했는지 모른다. 내가 지난 십년을 허투루 살지 않았구나. 라는 안도감.

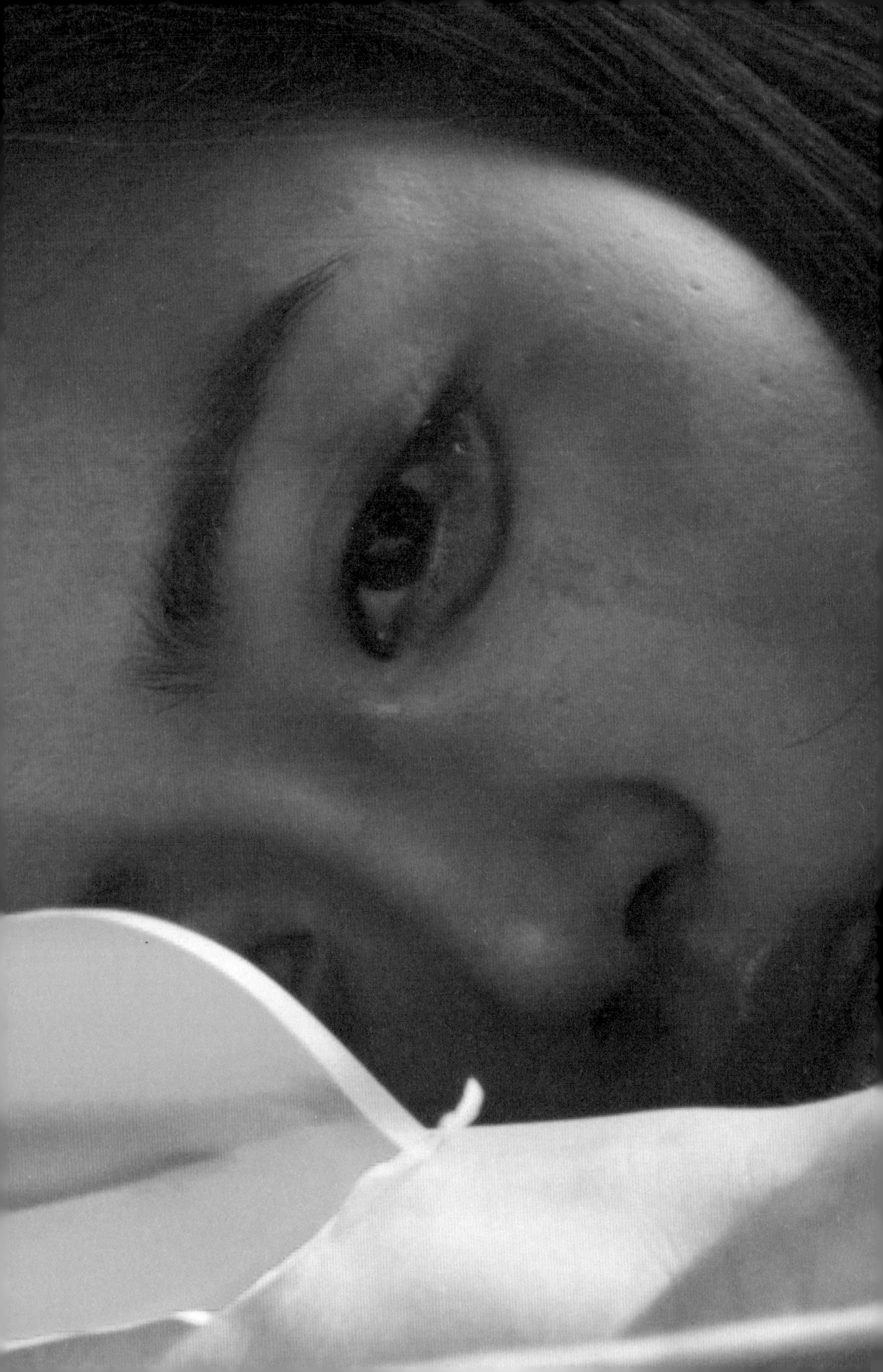

'미쓰 홍당무' 엔딩 노래는 내가 작사했고,

어쩌다 보니 내가 만든 영화의 OST 노래는 늘 내가 작사한다. 처음부터 내가 원했던 것은 아닌데 장영규 음악감독님이 부탁하시면 나는 거절할 수 없다. 이 작품의 엔딩 노래는 특히 작사가 어려웠다. 양미숙의 마지막 얼굴을 살려주려면 무슨 내용을 노래해야 할지 감이 오지 않았다. 썼다가 지웠다 하기를 며칠 동안 반복했던 기억이 있다. 그러다가 마음을 고쳐먹었다. 큰 욕심 부리지 말고 '그냥 양미숙을 노래하자'. 사람들에게 '양미숙'이 기억되는 캐릭터로 남기를 바라는 마음으로 그렇게 작사했다.

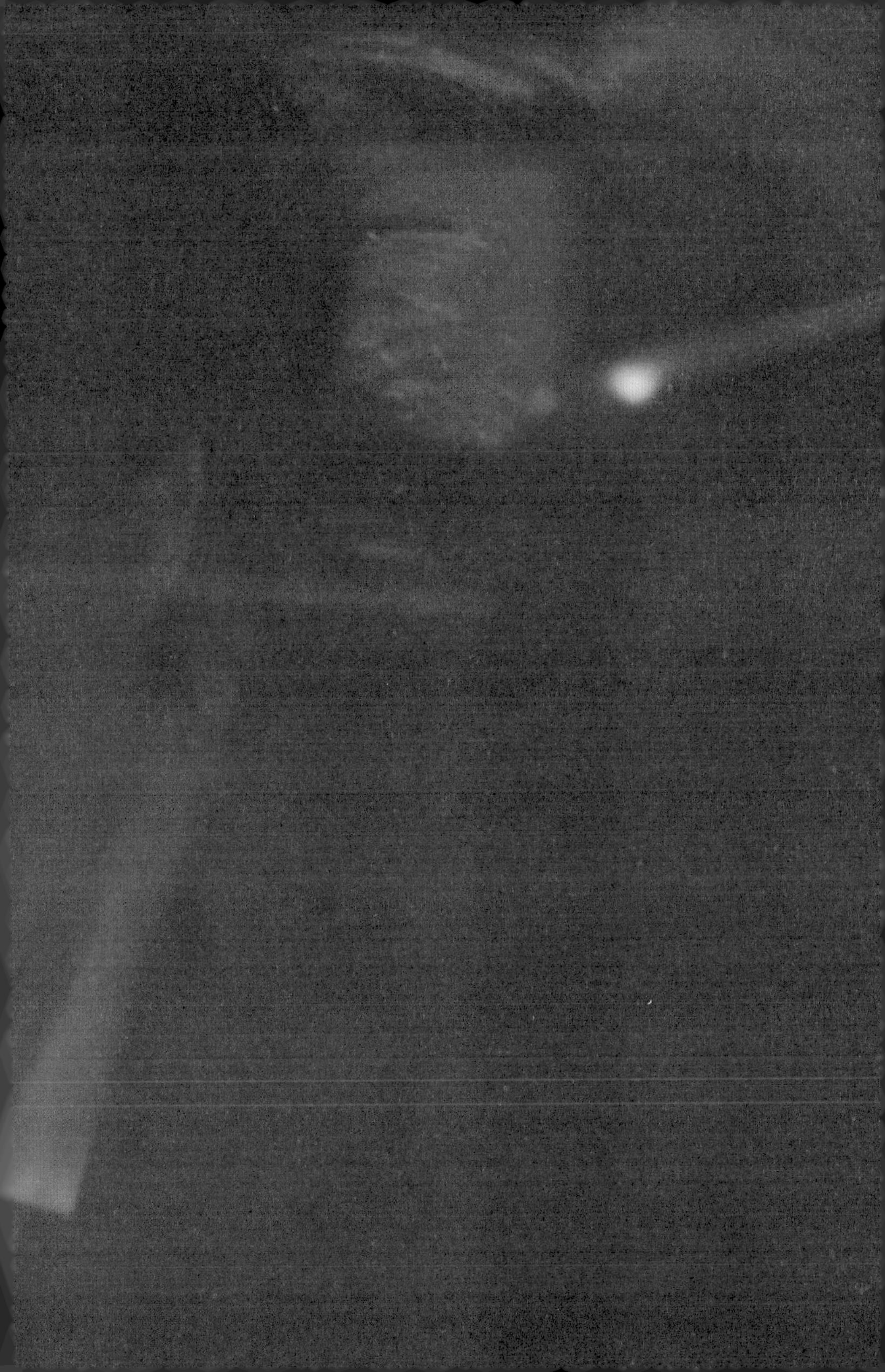

미쓰 홍당무

작사: 이경미 ⁄ 작곡: 장영규

스물아홉 살
얼굴이 빨간
깡마른 몸 성난 곱슬 머리
부끄러웠네
내 빨간 얼굴
아무도 내게 관심이 없네

얼마나 빨개져야 날 보아 줄까
얼마나 화를 내야
새빨개.질.까.

부끄러웠네
스물아홉살
내게는 작은 소원 하나 있어요
빨개진 얼굴
이 아니라도
내 얘기를 한번만 들어주세요.
한 번만

'나도 공주가 되고 싶어' 노래도 내가 작사했고,

영화학교 시절, 나는 종종 학교에서 밤을 샜다. 욕심이 많아서 이것저것 뭘 작업하다 보면 집에 잘 안 들어가게 됐다. 조명 소모품 중에 '우드락'이 교내에 흔했다. 학교 지하의 휴게실 바닥에 우드락을 깔고 잠을 자다가 수업 지각도 자주 했다. 그 날은 기분 좋은 여름밤이었다. 학교에서 밤새 작업하다가 밤바람이 좋아서 동기와 잠시 밖을 걸었다. 우리가 어쩌다가 그런 이야기를 나눴는지 모르겠다. "언니는 전생에 뭐였을 것 같아?" 그 친구가 먼저 질문했다. "나는 점쟁이가 그러는데 전생에 물 항아리를 이고 있는 모습이 보인대. 누구 집 하인이었던 것 같대."라고 대답했다. 실제로 동대문 점쟁이가 나한테 그랬다. 이어서 그 친구가 고백했다. "언니, 나는… 전생에 닭이 확실해. 머리가 닭대가리거든." 우리의 대화가 얼마나 진솔했는지 내가 그때를 잊지 못해서 그런 가사를 쓰고 말았다.

나도 공주가 되고 싶어

작사: 이경미 ⁄ 편곡: 장영규
원곡: El Milagro De Tus Ojos

점집으로 향했어
난 전생에(나의 전생) 뭐 였을까
나는 공주였겠지(공주였을까)
현생에서 이 고생인데
점쟁이가 말했어
넌 전생에 노예였다고
너무 너무(씨발 졸라) 충실한 개 같은 노예
억장이 무너졌어
그게 전부는 아닐꺼야
한번 더 물어봤어
노예 전엔 뭐였냐고
점쟁이가 말했어
그 전엔 넌 닭이었다고
너무 너무(것도 졸라) 머리 작은 닭대가리

그래서 내가 이런가
그래 결국 그거였어
그럼 나는 언제 공주 되나
나도 공주 한 번 되고 싶어
나도 공주 한 번 되고 싶어
나도 공주 한 번 되고 싶어

'여고시절 단체사진'은 말이지,

다들 내가 고등학교 시절에 저런 단체 사진을 정말 찍었을 것이라고
믿고 싶은가 본데 그것만큼은 절대 아니다.

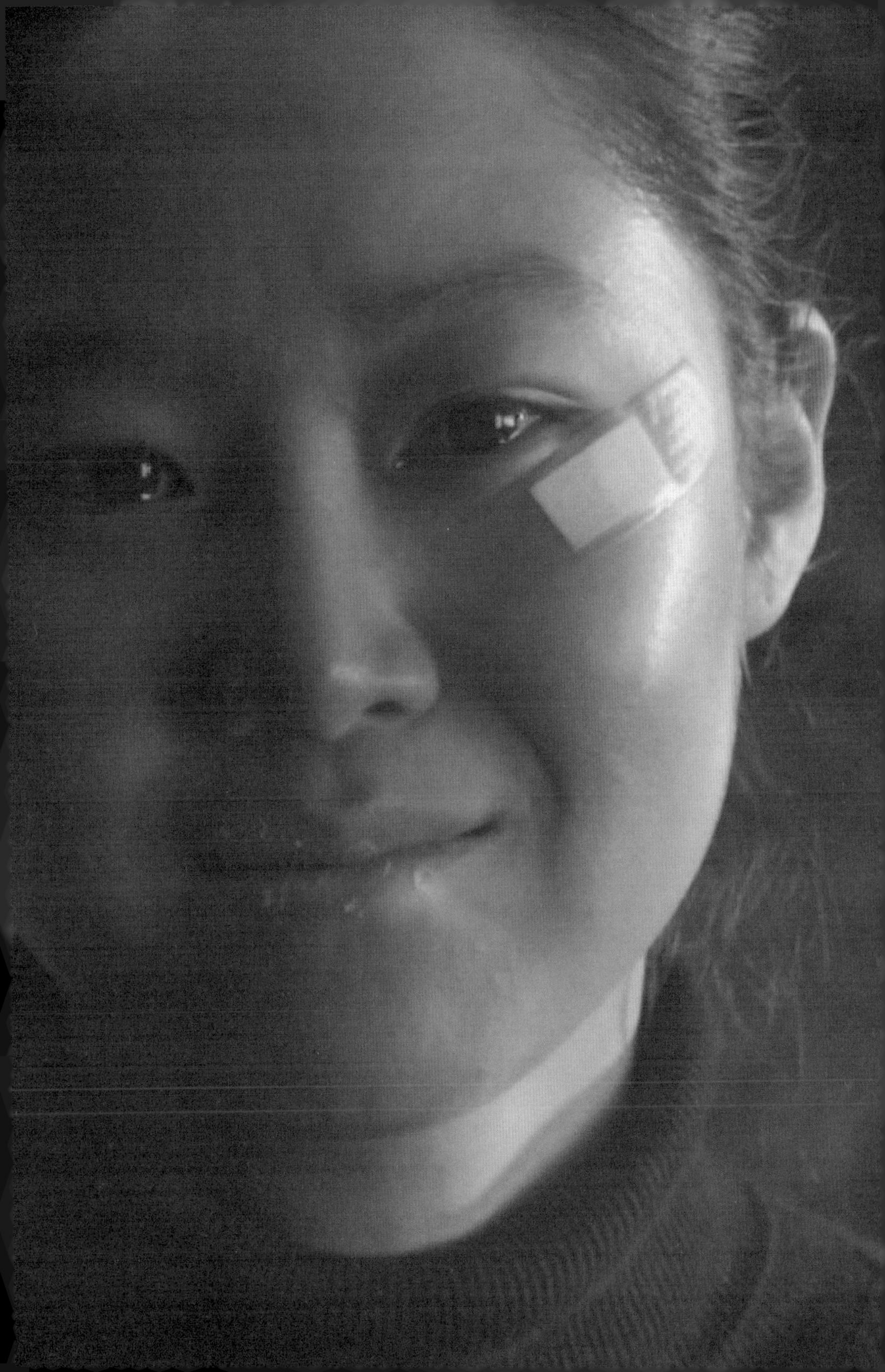

'전신 기브스'는 내가 직접 들었는데,

이 이야기는 내가 들은 실화를 재구성했다. 지인 중에 의사가 있는데 가끔 병원에서 발생하는 여러 가지 해프닝을 이야기해주곤 했다. 그중 참 인상적인 이야기가 있었다. 전신 기브스를 한 남자 환자가 6인용 병실에서 장기 입원 중이었는데, 이 와중에 그의 신혼인 아내가 임신을 했단다. 이 실화를 성별만 바꿔 재구성했다.

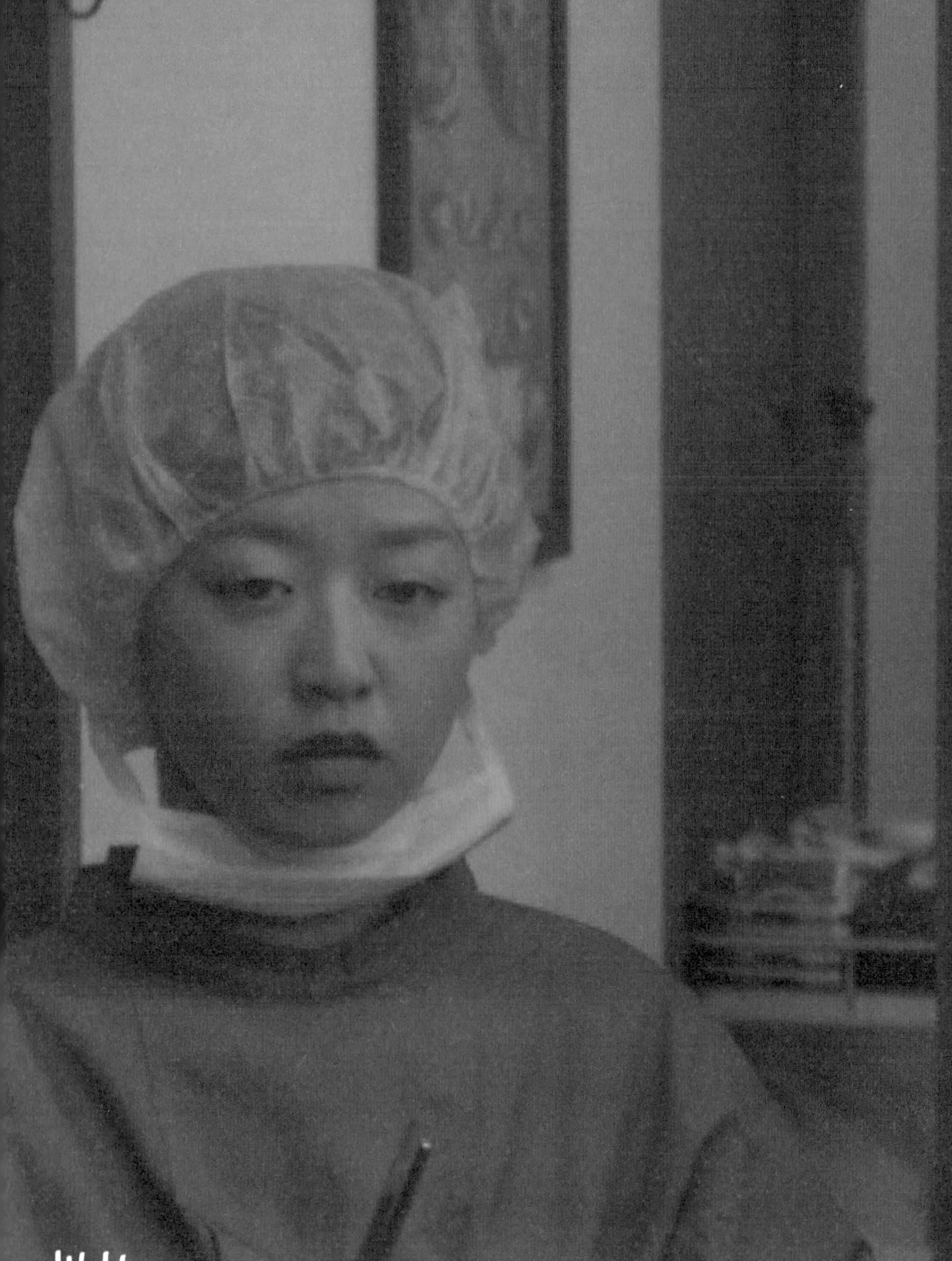

박찬욱 피부과 의사와 간호사

여기에 내가 심어놓은 디테일은 박찬욱 감독님만 알아차리셨다.
두 사람은 연인 관계다.

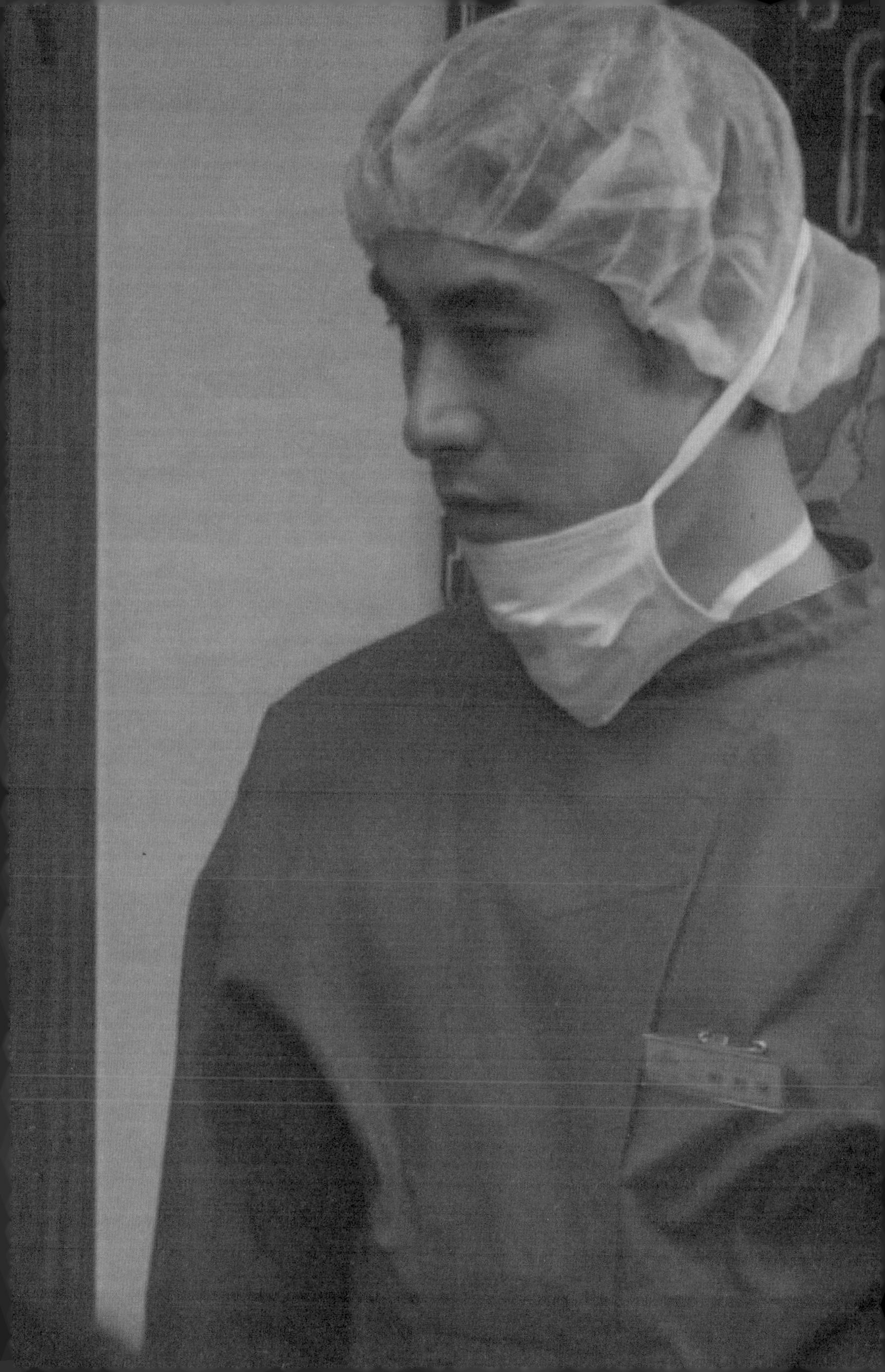

또 다른 카메오
봉준호 감독

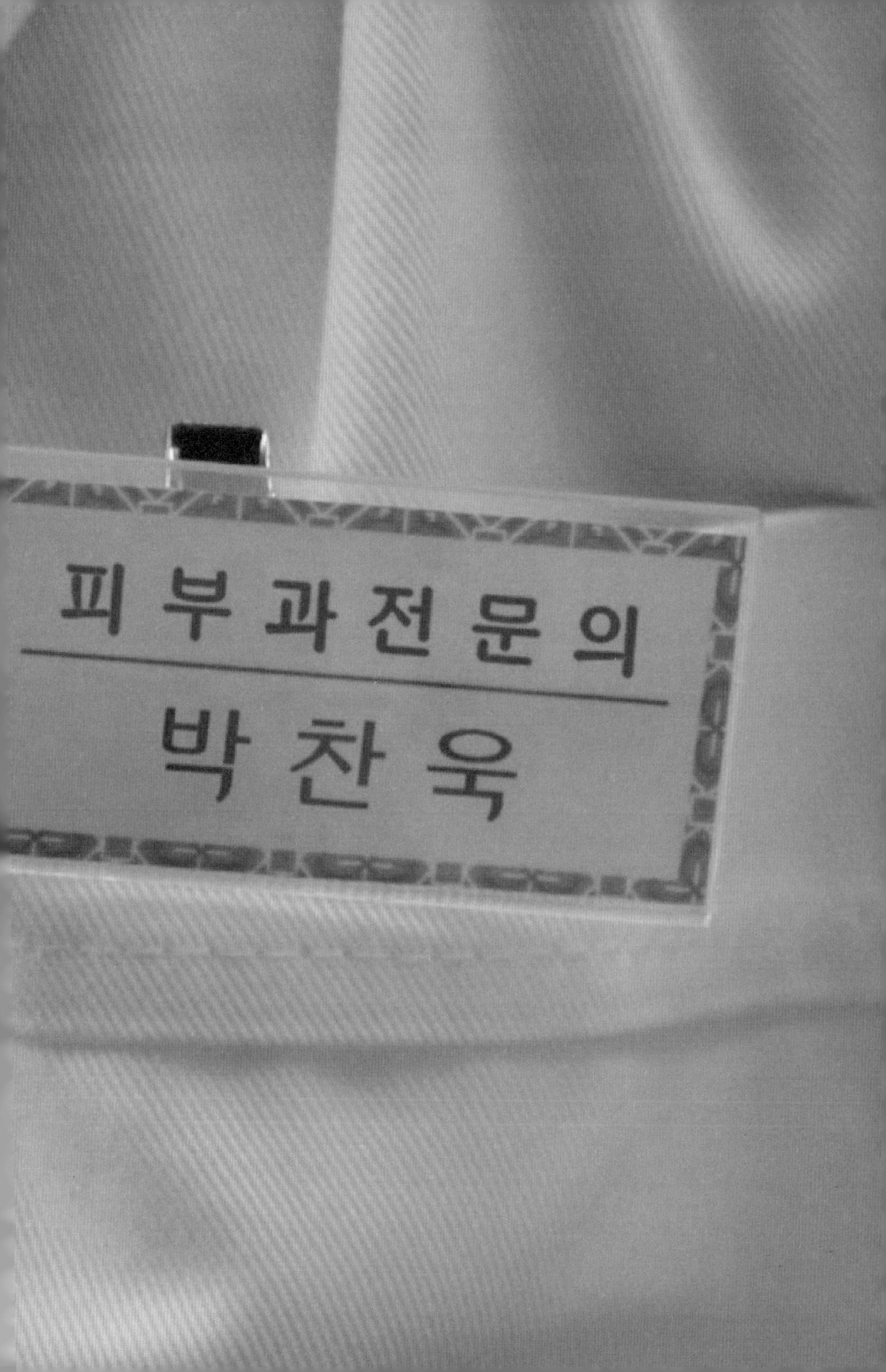

피부과전문의
박찬욱

part 3

“여학생들이 어떻게 이럴 수 있어?”

인터뷰와 글:
이다혜(작가 / 씨네21 기자)

"여학생들이 어떻게 이럴 수 있어?"

이경미 감독 인터뷰

Q　이번 출간되는 ‹미쓰 홍당무› 각본집은 언제 버전인가요?

A　당시 촬영용으로 제본한 버전입니다.

Q　몇 번의 수정 끝에 완성하셨는지 기억하시나요?

A　셀 수 없이 많죠. 쓴 기간은 2년 정도예요. ‹친절한 금자씨› 스크립터를 마친 뒤 감독 계약을 하고 썼어요. 기계처럼 썼어요. 어느 날은 셀 수 없이 많이 쓰다가 이제 나는 쓸 만큼 다 썼다는 생각에 파일명을 '최종고'라고 해서 제작자인 박찬욱 감독님께 드렸어요. 그런데 나중에 부산국제영화제인가 어딘가의 술자리에서 박감독님이 재미있는 일이 있었다면서, "이경미 감독이 글쎄, 파일 제목에 자기 마음대로 '최종고'라고 덧붙였더라?"고 하신 일이 있죠. (웃음) 물론 그 이후로도 저는 한참 많이 고쳤죠. 셀 수 없이 많이 썼어요. 기계처럼.

Q　맨 처음 쓴 원고와 최종고 사이에서 바뀐 부분들이 있을 텐데요.

A　하고 싶은 이야기라고 처음 박찬욱 감독님께 말씀드렸던 건, 얼굴이 빨개지는 여자와 머리가 큰 남자의 사랑 이야기였어요. 근데 쓰다가 보니 얼굴이 큰 남자가 쏙 빠졌고 얼굴이 빨개지는 여자만 남았어요. 그게 제일 큰 변화고요. 그리고는 너무 많이 바뀌었는데… 제가 시나리오를 바꾸는 폭이 워낙 커요. 모든 장르의 버전이 다 있어요. 어떤 버전에선 양미숙이 하늘을 날고 서울시가 대폭발 하기도 했어요.

Q　바뀌지 않고 고스란히 남은 설정은 무엇인가요?

A　유부남을 짝사랑하는, 얼굴이 빨개지는, 성격이 평범하지 않은 여자.

Q　최초 구상 단계에서는 얼굴이 큰 남자가 선생님이었나요?

A　얼굴이 큰 남자가… 기억이 나질 않네요. 너무 오래 돼서 기억이 나지 않아요.

Q　영화의 양미숙 선생님이 이경미 감독님을 반영하는 캐릭터인 것인가 싶기도 한데요. 감독님과 양미숙 선생님이 얼마나 비슷할까요?

A　당시엔 양미숙과 저는 전혀 다르다고 늘 주장했어요. 그런데 시간이 많이 지나고 보니 꽤 과장된 부분도 많지만 일부분 제 모습이 들어있다는 생각이 들어요. 누구든지 자신의 지난 시간을 떠올리면 '아 그때 내가 왜 그랬을까, 그때 누군가에겐 내가 민폐였겠구나, 어떤 사람들에겐 내가 잘못한 점이 있었네' 이런 식으로 뒤늦게 깨닫게 되는 순간들이 있잖아요. 이렇게 저의 지난 일들에 대해서, 지난 사람들에게 그래도 조금 변명하고 싶은, 저의 반성을 보여주고 싶은 마음, 자책하는 마음 등등이 때로는 과장되고 우스꽝스럽게 양미숙을 만들었던 건 아닐까 싶어요. 인물을 만들 때 주변 가족과 친구들로부터 모티브를 많이 얻어요. 제가 평소 이해할 수 없는 그들의 행동과 생각들을 가져와요. 왜냐하면 도대체 그 사람들이 왜 그러는지 궁금하니까. 그런 질문을 가지고 인물을 만드는 과정에서 저의 욕망이 섞이게 되는 것 같아요. 양미숙에게 들어있는 제 욕망은 '하고 싶은 말을 다 하는 성격'이에요. 저는 할 말을 다 못 하고, 말할 기회도 매 번 놓치는 성격이거든요.

Q　그러면 주변에서 양미숙과 비슷하다고 생각하셨던 특정한 사람이 있는 건가요? 아니면 여러 사람의 캐릭터를 조합해서 만드셨나요.

A　여러 사람의 캐릭터를 조합해요. 주로 가족에게서 영감을 받는 편이에요. 대개 가족은 가장 가깝고, 그래서 어려운 사람들이잖아요. 절대 이해할 수 없는 면들이 끝도 없이 생기고. 그래서 자꾸 마음에 걸리고 신경 쓰이고요. 가족에 대해 이해가 안 가는 걸 생각하다 보면 인물을 만들 때 도움이 되죠. 같이 일하는 동료 관계도 비슷해요. 어떤 일이 어렵게 느껴질 때를 생각해보면, 일 자체보다는 일을 같이 하는 사람들 때문에 어려울 때가 많잖아요. 내가

누구한테 하고 싶어도 차마 못했던 말을 시나리오 속 인물들 대사로 써먹어요. 그걸 그 누군가가 봐줬으면 할 때도 있고. 그렇게 주변에서 영감을 받아서, 모아서, 조합해요. 있을 법한 인물이 될 수 있게.

Q　〈미쓰 홍당무〉는 이경미 감독님의 데뷔작입니다. 혹시 〈미쓰 홍당무〉 말고도 데뷔작이 될 뻔했던 시나리오가 있을까요?

A　없었어요. 얼굴이 빨개지는 여자 얘기를 한다고 마음을 먹고, 어떻게든 결론을 내야한다는 생각을 하면서 2년 동안 시나리오를 썼어요.

Q　시나리오를 쓰시면서 특히 신경 쓰신 부분은 어디였을까요? 이 부분은 꼭 시나리오대로 찍어야 한다든가, 혹은 그와 반대로 찍어봐야 알 것 같다고 생각하셨던 부분이 있나요.

A　〈미쓰 홍당무〉는 촬영할 때 계획한 대로 다 찍었어요. 각본에서부터 표현하고 싶었던 걸 다 찍었어요. 그런데 이후 작품들은 그렇게 하지 않았어요. 내 뜻대로만 다 하려고 하면 오히려 뜻밖의 일이 안 될 수도 있다는 사실을 깨달았거든요. 〈미쓰 홍당무〉 때는 그걸 몰랐기 때문에 '이걸, 하기로 했으니까, 이걸, 구현해야겠다'는 오로지 그 목표 하나로 찍었어요.

Q　배우들에게 애드립도 허용하신 부분이 있을까요? 현장에서 배우들 연기를 보며 바꾸신 부분도 있는지 궁금합니다.

A　대부분 대사들이 각본과 거의 똑같을 거예요. 뉘앙스가 달라진 캐릭터는 있어요. 종희예요, 서우 씨가 연기한 종희는 제가 각본을 썼을 때와 조금 달라졌어요. 어학실에서 "아빠, 미워!"같은 대사를 하는 부분은 각본보다 훨씬 재미있게 나왔어요. 좋은 배우를 만나서 새롭게 만들어진 장면이죠.

Q　배우들 캐스팅이 어느 단계에서 이루어졌는지도 궁금한데요. 종희라는 인물은 서우 씨가 연기하면서 더 생동감을 얻었다면 다른

배역들은 캐스팅 이후에 손을 보시거나 한 부분이 있을까요?

A 캐스팅 이후에도 각본을 손보긴 했지만 배우의 영향을 받아서 손을 보진 않았어요. 종희 캐릭터는 현장에서 배우에 의해 캐릭터가 더 재미있어진 경우예요. 〈미쓰 홍당무〉는 가장 각본에 충실했던, 각본에 있는 그대로 구현한 작품이라고 할 수 있어요.

Q 시나리오 쓰시면서 생각하신 인물들과 캐스팅 결과는 얼마나 싱크로율이 높은가요?

A 유리 선생님을 연기한 황우슬혜 배우는 상상했던 인물과 똑같았고. 은교(서 선생님의 아내이자 종희의 어머니 역할)를 연기한 방은진 감독님도 각본 썼을 때 느낌과 흡사하고. 그다음에 종혁 씨. 서 선생님을 연기한 종혁 씨 캐릭터가 제일 어려웠어요. 찌질하지만 밉상으로 보이지 않았으면 좋겠고 이 남자는 이 남자대로 이해됐으면 좋겠다 싶었어요. 그것은 배우가 잘해주지 않으면 힘들어요. 종혁 씨가 아주 잘해줬어요. 효진 씨는 각본을 쓸 때 생각했던 인물과 약간 달랐어요. 저는 양미숙이 더 센 인물이기를 원했지만 효진 씨의 양미숙은 제가 보기엔 꽤 순한 편이었어요. 〈미쓰 홍당무〉가 개봉했을 때 그래도 양미숙이 너무 세서 불편하다는 사람들이 많았는데(웃음), 사실 저는 그것보다 더 세기를 바랐어요. 마지막 장면에서 양미숙이 무대 위에 서서 종희 손잡고 울먹울먹 하잖아요. 저는 거기서 울먹울먹 하지 않기를 바랐어요. 약한 모습 보이지 말자고, 끝까지 당당하고 떳떳하게 가자고 했는데, 효진 씨가 자기는 그게 이해가 안 간다더라고요. 그 장면이 크랭크업 날 마지막 촬영이었거든요. 효진 씨가 자기는 그간 연기해 온 인물을 생각해봤을 때 두 눈 부릅뜨고 떳떳한 모습이 잘 이해가 안 된다고 해서 효진 씨 의견을 따랐어요. 나중에 편집 하면서 보니까, 제 의견과 효진 씨 의견, 두 가지 버전으로 찍었어도 효진 씨 버전을 썼겠구나 싶더라고요. 영화에 아주 크게 도움이 됐어요.

Q 영화를 보면 양미숙 선생님 말투가 있잖아요. 약간 쏘아붙이는 것 같으면서 상승곡선을 그리듯 말하는데, 그런 부분은 쓰시면서 생각하신 말투의

연장선에 있는지 아니면 공효진 배우가 배역을 해석하며 만들어낸 것인지 궁금합니다.

A 효진 씨가 각본을 보고 해석한 부분이 있을 거예요. 대사를 쓸 때는 — 지금도 그렇지만 — 배우가 읽을 때 쓴 의도대로 전달되는지, 그러려면 어디에서 끊고 호흡을 쉬어야 하는지를 신경 쓰는 편이에요. 그 다음에는 배우가 해석하는 캐릭터로 완성되는 거죠. 만일 효진 씨가 아니었다면… 효진 씨가 양미숙을 해줘서 천만다행인 것 같은데, 안 그랬으면 더 비호감이고 시끄러웠을 거예요. 그리고 아마… (관객들이) 싫어하는 영화로 남았을 가능성이 있어요.

Q 시나리오와 영화를 나란히 보면서 새삼 감탄한 부분은, 처음 시작할 땐 양미숙을 전혀 이해할 수 없었고 좋아할 수 없었는데, 막판에는 양미숙의 엄청난 외로움이 '말이 된다'는 거였습니다. 공감하게 되거든요.

A 각본이 나오고 투자도 됐고, 캐스팅도 됐고, 촬영만 하면 된다는데, '그래서 양미숙은 왜 이렇게 말을 하고 행동할까' 하는 질문이 끝까지 해결이 안 됐어요. 마지막으로 만든 대사가 "나도 알아, 내가 별루라는 거!!! 내가 내가 아니었으면, 다들 나한테 이렇게 안 할 거면서,"(#154)인데요. 어느 날 버스를 타고 가다 그 대사가 떠올랐어요. 그러고 나니까 내가 할 수 있는 설명은 다 한 것 같다는 생각이 들더라고요. 그래서 지금도 제가 좋아하는 대사고, 촬영할 때도 효진 씨가 그 대사 할 때 눈물 나더라고요.

Q 좋은 대사가 많아요. 양미숙이 자기 자신을, 자기를 보는 시선을 몰라서가 아니라 어쩔 수 없다는 상황이 너무 잘 보여서, 다시 보며 좋았던 장면들이 많았습니다. 시나리오와 영화를 비교하며 보니까 가장 눈에 띄게 다른 부분은 도입부더라고요. 영화는 "세상이 공평할 거란 기대를 버려/우리는 남들보다 더 열심히 살아야 돼/— 양미숙"이라는 문장으로 시작합니다. 시나리오는 "이름이?" "양,미.숙."으로 시작하고요. 보통 영화 도입부에 어떤 문장이 소개될

때는 유명한 사람이 남긴 말, 명언인 경우가 많은데요, ‹미쓰 홍당무› 영화에서는 갑자기 ‘양미숙’이 나오는 거죠, 그리고 피부과 의사에게 토로하는 양미숙의 목소리로 넘어가요. 그런데 시나리오를 보면 서 선생님과 얘기하는 장면으로 시작합니다. 마지막은 영화와 시나리오가 똑같은데, 도입부는 꽤 달라요.

A　“세상이 공평할 거란 기대를 버려 / 우리는 남들보다 더 열심히 살아야 돼”라는 말은 편집과 사운드 믹싱을 다 마치고 색보정 하던 중 떠올랐어요. 각본에서처럼 인물이 삽질하면서 등장하는 모습이 재미있기는 한데, 이게 관객들에게는 너무 공격적인 접근일 수 있겠다고 판단했어요. 그렇다면 충격적인 등장을 유지하되 어떻게 도입부를 워밍업 시킬 수 있을까 고민했어요. 그래서 도입부 그림 위에 양미숙과 피부과 선생님이 나누는 대사로 시작하면 조금 시작이 부드럽지 않을까 싶어서 후시 녹음으로 대사를 만들어 넣었어요. 그래도 색보정을 하면서 보니 역시 도입부가 아쉬웠어요. 그런데 편집은 이미 락이 걸려서 더 이상 수정할 수 없고 앞에 블랙 화면을 조금 쓸 수 있는 정도밖에 할 수 없더라고요. 그래서 블랙 화면을 이용해서 말을 하나 더 넣자고 생각했어요. 빨간색 글씨로. 어른들이 빨간색 글씨는 금기시하잖아요… 그래서 빨간색으로 확 해버렸죠.

Q　중고등학교 때 단체사진 찍는 장면은 처음에는 웃기지만 나중에는 슬프단 말이에요. 단체사진은 소풍 가거나 할 때 1년에 두어번 찍는 의례적인 일일 수 있는데 누구에게는 엄청난 부담이 되고 스트레스가 되기도 하잖아요. 그런데 ‹미쓰 홍당무›도 ‹비밀은 없다›도 여중고생을 담을 때 감독님의 특징이 있는 듯해요. 감독님 영화에 나오는 여학생들은 일단 무표정합니다. 매체에서 여학생이 나올 때 흔히 보여주는 ‘까르르 까르르’ 웃는 모습이 아니라 무표정하고, 어떤 때는 사납기도 합니다. 시나리오와 영화가 다른 부분 중에서, 서우 씨와 공효진 씨가 강당 뒤쪽 커튼 뒤에서 싸우는 대목이 있습니다. 서우 씨가 먼저 가버리고 공효진 씨가 혼자 남아있는데 학생들이 커튼을 걷고 나오다가 “어우 깜짝이야” “뭐야”(33:13)

이러면서 하나씩 무표정한 얼굴로 지나갑니다. 이 대사는 시나리오에는 없거든요. 이경미 감독님 영화들에서 여고생들을 보여주는 이런 장면들이 다른 영화들과 다르면서 생동감 있거든요.

A 제게 의도가 있었는지는 모르겠지만, 십대 여성들을 그렇게 연출한 데는 일종의 반발심도 있었던 듯해요. 십대 여자 아이들을 보여주는 방식, 그들이 다루어지는 방식에 대한 반발심이라고 해야겠죠. 예쁜 교복을 입고… 일본 영화에 나오는 여고생 같은 그런 느낌? 제가 ‹미쓰 홍당무›를 만들 때가 그런 감성이 한창 인기 많을 때였어요. 제가 각본을 쓰기 위해 출퇴근하던 영화사 근처에 여자 학교가 있었어요. 그런데 거기 있는 현실의 여학생들은 전혀 다르거든요. 몰려다니는 학생들이 똑같은 머리 모양을 하고 있는 게 너무 인상적이어서 그 모습을 살리고 싶다고 생각했어요. 그런 집단성? ‹미쓰 홍당무›의 졸업사진 찍을 때도 제가 착한 얼굴로 웃지 말라고 했어요. 사악한 짓을 저지를 때만 웃게 했어요. 팔짱끼고 블로킹할 때, 그럴 때만 웃게 하고. 그 당시 인기 있는 영화들 속에서 십대 여성들이 미화되고 과장되고 비현실적으로 묘사되는 모습들이 지겨웠어요. 시시했고요.

Q 그래서 생동감 있어요.

A 제가 많이 받았던 질문이… ‹비밀은 없다› 찍을 때 ‘엄마가 어떻게 그럴 수 있냐’ 였다면 ‹미쓰 홍당무› 찍을 때는 ‘여학생들이 어떻게 이럴 수 있어?’ 라는 질문이었어요.

Q ‹미쓰 홍당무›는 종희와 양미숙이 동지가 되는 이야기입니다. 이 둘을 묶는다는 생각은 어떻게 하게 되셨나요? 양미숙이 이 상황을 누군가와 함께 돌파해야 한다고 할 때, 종희는 여성이고 양미숙의 학생이거든요. 이 이야기를 따라가다 보면 두 사람에게 필요했던 것은 친구였구나 싶기도 하고요. 두 사람의 파트너십이 이상하고 독특하면서 재미있고 매력적이란 말이죠.

A 양미숙에게는 누군가가 필요한데 그 사람이 누구여도 괜찮다고 생각했어요. 양미숙에게 필요한 그 사람은, 짝사랑하는 남자일 수도 있고 그의 부인일 수도 있고, 한참 어린 여자일 수도 있었어요. 누구여도 괜찮다고 생각했어요.

그런데 왜 종희를 선택했느냐 하면, 각본을 쓰면서 제가 제일 멋있다고 생각한 사람이 종희였거든요. 양미숙이 안쓰럽고 마음 가는 인물이라면, 종희는 제가 되고 싶은 사람이었어요. 제가 안쓰럽게 여기는 양미숙이라는 사람이 제가 되고 싶은 사람, 제일 멋있다고 생각하는 사람인 종희와 같이 있는 그림이 좋겠다고 생각해서 그 둘을 연결시켰어요. 그런데 ‹비밀은 없다› 때도 제가 똑같은 일을 하고 있더라고요. 엄마랑 딸의 친구를, 의지한다든지 영역을 주고받는 관계로 그렸다는 걸 깨달았어요. 저도 궁금해요. 제가 왜 그렇게 하는지.

Q　　어린 나이인데도 불구하고 종희라는 인물이 가진 단단함이 있습니다. 그게 서우 씨 얼굴에 잘 드러난다고 생각하거든요. ‹비밀은 없다› 때도 성인 여성과 십대 여성의 앙상블이 굉장히 안정적으로 느껴진다는 것, 그런 세계가 감독님 안에 있다는 게 굉장히 재미있었어요.

A　　가장 서로에게 도움이 될 수 있는 관계인 듯해요. 어느 정도 세월을 산 여자와 긴 세월을 살 여자가 만나는 거잖아요. 세월을 거쳐 온 여자로서 자신이 가진 경험을 나눌 수 있고, 이제부터 살아 나가야 할 여자가 가지고 있는 ‘내가 잊고 있던 것’을 받을 수도 있고. 그런 면에서는 서로 도움이 되는 관계인 것 같아요. 다음 이야기는 뭐가 될지 정말 모르겠지만, 성인 여성과 십대 여성 외에 다른 관계도 이야기해보고 싶다는 생각은 있어요.

Q　　지금 염두에 두고 계시는 이야기도 있을 텐데요.

A　　네. 부부이야기 하고 싶어요. 징글징글한 부부이야기. 호러 하고 싶어요.

Q　　만드신 영화 두 작품에서는 남편들이 다 문제가 많았거든요. 그리고 그 사이에 감독님은 결혼을 하셨잖아요. (웃음)

A　　(웃음) 그러게요.

Q　　에세이 ‹잘돼가? 무엇이든›에는 ‹미쓰

홍당무〉 시나리오 쓰실 때 건강보조제 중독이셨다고 하셨는데요. 그 얘기가 굉장히 재미있었는데, 시나리오라는 작업의 특성상 쓰는 내내 갈 길이 멀다는 각오를 하고 지난한 과정을 거치게 되는데요. 지난 두 작품은 어떻게 작업하셨어요?

A 저는 각본 쓸 때 주변 사람들을 많이 괴롭혔어요. 그래서 저와 친한 사람들은 모두 제게 시달린 경험이 있어요. 제가 빨리 각본을 마쳤으면 좋겠다고 모두가 간절하게 빌어요. 너무 피곤하니까. 의견을 많이 묻는 편이고. 건강관리 엄청 노력하고. 각본 작업이 끝나면 '크랭크인'인데 이게 생명을 깎아먹는 일이니까 이를 대비하기 위해서이기도 한데, 또 한 편으로는 건강관리를 하다 보면 건강관리를 하는 스스로에게 되게 뿌듯함을 느끼게 된단 말이에요. 각본을 쓸 때는 뿌듯함을 느끼기보다 좌절을 느낄 때가 많기 때문에, 일상 속에서 뿌듯함을 느낄 수 있는 뭔가가 필요해요. 그래서 건강보조제를 챙겨 먹고. 운동하고.

Q 주변 사람들을 괴롭힌다고 하셨는데, 그 괴롭히는 포인트가 쓰시는 대사나 상황이나 인물에 대해 계속 물어보시는 방식인가요?

A 쓰면 읽어보라고 해요. 워낙 빨리 쓰고 많이 쓰는데, 조금만 고쳐도 보내서 읽어보라고 하니까. 나중에는 "근데 뭘 고쳤는데?"라는 이야기를 늘 듣게 되죠. (웃음) 많이 읽히는 편이고, 그리고 각본 쓸 때 사람들을 많이 만나요. 친구들이나 여러 사람들을 만나서 얘기 듣는 일을 많이 하는 편이에요. 친구와 나누던 대화를 그대로 쓰는 경우도 많고, 말투도 가져오곤 하고.

Q 봉준호 감독님은 어떻게 카메오 출연을 하게 되셨나요. 박찬욱 감독님은 왜 이름만 빌려주시고 배성우 배우가 '박찬욱'을 연기하게 되었는지요?

A 각본 쓰고 콘티를 짤 때 제가 좋아하는 사람들 이름을 넣는 일을 좋아해요. 그래서 좋아하는 사람들, 친구들, 고마운 스탭들 이름을 가게 이름으로도 넣고 트럭 앞에도 넣고 그래요. 박찬욱 감독님께는 처음에 출연을 부탁드렸어요. 담고 싶어서. 거절하셔서 하는 수 없이 그냥 이름만 썼는데, 크랭크인 첫날 감독님이 오신 거예요. 즉석에서 출연을

부탁드려서 오프닝에 잠깐 나오시긴 했죠. 봉준호 감독님은 제가 영화학교 다닐 때 선생님이셨어요. 그래서 〈잘돼가? 무엇이든〉 단편 만들 때부터 보여드렸었고, 진로 상담도 종종 드렸었던 터라 시나리오 나왔을 때 보여드렸어요. 시나리오를 무척 좋아하셨어요. 농담으로 "카메오로 출연…?"이라고 하시길래 제가 바로 촬영일을 정했죠.

Q　　시나리오라는 책의 특징은 여러 사람들이 계속 돌려본다는 데 있습니다. 이른바 출간되기 전에 이미 많은 사람들의 손을 탄단 말이에요. 그 과정에서 여러 이야기를 듣게 되고, 그게 수정으로 이어지는데요.

A　　네, 많이 수정해요. 저는 모니터링을 받고 반영을 많이 하는 편이에요. 제가 가장 많이 하는 질문은 "이해가 돼?"거든요. "그래서 이 상황이 이해가 돼? 무슨 말인지 알겠어?"라는 말을 제일 많이 하고 이해가 안 된다고 하면 이해가 되게 바꾸려고 하죠. 적극적으로 많이 바꾸려는 쪽이에요.

Q　　〈고도를 기다리며〉는 어떻게 들어가게 되었나요?

A　　양미숙과 종희 둘이서 아이들 앞에서 공연을 했으면 좋겠는데, 그 공연이 정말 재미없었으면 좋겠고, 간단했으면 좋겠다. 두 사람이 뭘 많이 준비할 수는 없었을 테니까, 박은교 작가와 같이 시나리오를 쓰면서 제일 재미없는 연극 공연은 뭐였을까 대화하다가 박 작가가 〈고도를 기다리며〉를 제안했어요. 그럴까? 하고 〈고도를 기다리며〉를 보는데 대사들이 참 좋더라고요. 인물들의 상황과도 잘 어울리고. 그래서 참 적절했다고 생각하고 있어요. 좋아해요.

Q　　처음 〈고도를 기다리며〉를 할 때는 왜 저걸 했지 싶다가, 연습을 하는 과정에서도 저걸 왜 하고 있지 하다가, 마지막 무대에서 "고맙습니다"라는 대사를 하는 순간, 대단한 큰 말이 아닌데도 두 사람 상황과 관련해 확 와닿더라고요.

A　　〈고도를 기다리며〉의 어떤 장면을 쓸까 고민했는데, "고맙습니다"를 반복하는 대목이 마음에 남더라고요. 누군가에게 도움을 받은 적이 없는 두 사람이 허공을 향해

연신 고맙다고 외치는 장면이 좋을 것 같았어요.

Q　서울전자음악단 노래가 들어가는데, 가사가 잘 들리거든요. ‹나도 공주가 되고 싶어› ‹꿈에 들어와› 나올 때는 가사가 대사를 대체하는 식으로 들려서, 노래가 적극적으로 개입한다는 인상인데요.

A　서울전자음악단 노래는 장영규 음악감독님이 선곡을 하셨고, 나머지 삽입곡은 제가 작사를 했어요. 감독인 제가 작사를 해서인지, 가사를 쓸 때 이야기나 인물에 어울리는 상황을 상상하면서 쓰게 되더라고요. 이 모든 과정이 이야기의 한 부분이라는 생각이 들어서, ‹비밀은 없다› 때도 제가 작사를 했고, 현재 작업 중인 드라마 ‹보건교사 안은영›에서도 제가 작사를 했어요. 작사를 하면 뭔가 작품이 비로소 완성된다는 느낌이 들어요. 영화에서 하고 싶은 말이 작사로 완성되는 거죠. ‹미쓰 홍당무›에서는 마지막 엔딩곡 ‹미쓰 홍당무›를 참 좋아해요. 며칠 걸려서 쓴 가사인데, 양미숙을 예쁘게 보이게 만드는 노래인 것 같아서 좋아해요(이 곡의 마지막 가사는 “빨개진 얼굴이 아니라도/ 내 얘기를 한 번만 들어주세요/한 번만”이다 — 편집자).

Q　‹미쓰 홍당무›를 다시 보시면서 각별히 느껴지시는 장면들은 어떤 대목들일까요? 지금 찍으면 다르게 찍었겠다는 생각이 드는 장면이 있나요?

A　좋아하는 장면이 너무 많아서… “나도 알아, 내가 별루라는 거!!!” 말하는 장면은 늘 좋아하고요. 최근에 다시 봤을 때는 양미숙과 종희 두 사람이 공연 마치고 학교 비탈길을 내려가는 뒷모습이 좋더라고요. 등 뒤에 밀가루 막 묻어있고. 그때 효진 씨가 애드립했어요. 가방을 막 흔들면서 “이거 딸랑 하나 있는 가방이란 말이야!”(1:36:30)라고 하거든요. 재미있더라고요. 그 뒷모습을 다시 보는 게 좋았어요. 그 모습에서 두 사람만의 세계가 완성된 느낌이 들어요. 모두가 재미없어 해도 두 사람은 서로 재미있어 죽는, 둘 만의 세계. 거기에 효진 씨의 애드립이 살짝 현실감을 깨워요. 가방 하나 딸랑 있는 양미숙. 그래도 괜찮아 보여서 좋아요. ‹미쓰 홍당무›는 다 좋아해서 다르게 찍고 싶은 장면은 없는데, 만약 다시 찍는다면… 다른 카메라로

촬영하겠어요. 그때 우리가 디지털 카메라로 찍었는데, 당시에는 아직 필름으로 찍던 시기였거든요. 당시에 거의 사용된 적 없는 새로 나온 디지털카메라를 썼어요. 제가 필름에 구애받지 않고 테이크를 많이 가고 싶었거든요. 하지만 그때 저희가 너무 용감하게 선택을 해서 실수도 좀 있고 원본 상태가 좋지 않아요. 다행이라면 블루레이 발매를 위해서 새롭게 색보정 작업 중에 있는데 개봉 당시보다 더 좋은 영상이 나올 것 같아요.

Q　영화 계획은 언제로 생각하시나요.

A　저는 늘 장르를 먼저 정해요. ‹미쓰 홍당무›는 먼저 ‘코미디 해야겠다’였거든요. ‹비밀은 없다› 때는 먼저 스릴러를 마음먹고 다른 소설과 영화들 찾아보면서 공부하듯 각본을 썼고. 다음 작품은 호러 장르를 쓸 것 같아요. 부부 얘기 하고 싶고.

Q　귀신이 나올까요.

A　귀신은 안 나올 것 같아요. 저는 귀신보다 사람이 더 무서워요.

part 4

부록:
아랫집 각본

각본과 연출: 이경미
출연: 이영애
제작: jTBC
방영일: 2017. 12. 17

단편영화 ‹아랫집›은 플레인아카이브에서 출시되는
‹미쓰 홍당무› 블루레이에서 고화질로 감상하실 수 있습니다.

1
희지의 집 / 욕실 / 거실(이른 아침)

욕실 환기구, 박스 테이프 자국들이 선명하게 남아있는 환기구. 쿵! 쿵! 쿵! 저 멀리서 소리가 들린다. **희지(30대 중반, 여)**, 환기구 가까이 귀를 가져다댄다. 환기구 안을 들여다본다. 환기구를 테이핑 한다. 신경질 적으로 빈틈없이 박박.

쿵! 쿵! 발 구르는 소리.

2
306호 아파트 복도(이른 아침)

쿵! 쿵! 쿵! 인적 없는 복도. 카메라, 복도 끝에 있는 집을 향해 아주 천천히 들어간다.

3
아파트 전경(이른 아침)

바둑판 모양의 아파트 전경 위로 쿵! 쿵! 쿵!

4
희지의 집(이른 아침)

희지 목소리

안녕하세요. 저는 406호 주민입니다.
제가 이렇게 편지를 드리는 이유는,
바로 담배 연기 때문입니다.
저는 매일 아침 제 딸아이를 유치원 선생님한테
맡기러 가는 일을 빼고는 주로 집에서 지내는 평범한
가정주부입니다. 내 집에서 내 마음대로 담배도 못 피냐고
생각하신다면 그건 틀린 생각입니다.
우리들은 욕실 환기구와 하수구를 통해서 아주 밀집하게
연결되어 있기 때문입니다.
담배 연기 때문에 고통받는 저희 가정을

조금만 이해해주세요.
청개구리를 좋아하고 애교도 많은 제 딸아이의 건강을
지켜주세요. 이렇게 간절하게 부탁드립니다.
제발 실내에서는 금연을 해주세요. 제발 살려주세요.

쿵! 쿵! 쿵! 희지, 청소기를 기둥 삼아 왼손으로 붙들고 오른손엔 장대를 쥐고 있는 힘껏 제자리 뜀뛴다. 쿵! 딱딱한 굽이 박힌 희지 신발과 장대 끝이 동시에 바닥을 친다. 모든 사물들이 쿵! 소리에 조금씩 들썩인다. 쿵! 벽에 걸린 사진 액자들 가운데 **지우(7, 여)** 사진, 신비로운 얼굴이다. 쿵! 희지와 지우의 다정한 모녀 사진. 쿵! 식탁 위엔 아이의 인형들. 모든 창문이 닫힌 집. 초록 나무 화분들. 그리고 거실 한가운데 공기청정기 세 대가 삼각형 모양을 이뤄 놓여있다. 현관엔 남성용 군화.

희지, 손 편지를 편지 봉투 안에 넣는다. 'TO: 406호' 정성스럽게 쓴다.
희지, 녹음기 재생 버튼을 누르면 중년 남자의 코 고는 소리가 시작된다.
희지, 방 안을 향해,

희지
지우야, 선생님 오신다. 미리미리 준비해야지.

희지, 마스크를 쓰고 밖으로 나간다.

5
406호 아파트 복도(이른 아침)

희지, 나오면 저 너머 복도를 걸어오는 두 여성, 백팩을 메고 머리를 묶었다.
희지, 두 손 모아 인사한다. 선생님들, 같이 두 손 모아 인사한다.

선생님1, 2
달라쿰사마셋디마니옴바나

희지
달라쿰사마셋디마니옴바나

희지, 현관문을 열고 집 안을 향해,

희지

지우야, 선생님 오셨다.

이때, 뎅- 저 멀리 종소리, 묵직하게 울려 퍼진다. 세 여자, 동시에 허공을 둘러본다. 뎅- 뎅- 깊고 우아한 소리가 온 동네를 메운다.

6
희지의 집(해 질 녘)

뎅-! 소리 그릇을 치는 소리. 희지, 정성스럽게 백팔배를 한다.

쾅! 쾅! 현관문 두드리는 소리.

7
아파트 복도 306호 앞(이른 아침)

희지, 복도 끝 306호 문을 두드린다. 특유의 박자를 타고 쾅! 콰쾅! 안에서 사람 소리가 들리는 듯.

희지

안녕하세요, 406호 주민인데요!
(잠시 후, 현관문이 살짝 열린다.
남자(30대 중반, 남)의 맨 발 한쪽만 문 밖으로 내밀뿐 얼굴은 볼 수 없다)

남자

뭐 땜에 그러시죠?

희지

죄송한데요… 여기 혹시… 흡연자가 계시나요…?

남자

아… 저는 아닌데… 같이 사는 사람이…
(저 안에서 요란하게 가래 끓는 기침소리)

희지

(준비한 빨간 편지봉투를 조심스레 문 안 쪽으로 건넨다)

그럼 죄송한데요, 그분한테 이걸 좀 전해주시면…

안에서 기침 소리, 숨 넘어갈 기세다. 남자의 손만 문 밖으로 삐죽 나와 봉투를 가져간다.

남자

… 혼자 사세요?

희지

네?

문이 조금 열리고 남자가 고개를 내민다. 내복 바지에 샤워가운을 입었다.

남자

아니, 남편이 아니라 부인께서 직접 이러시니까…
(희지와 눈을 맞춘다. 슬쩍 위아래로 희지를 훑는. 희지, 무섭다)
나랑 사귀어볼래요?

희지

… 아뇨. 남편 있는데요?
(마스크 끝을 잡고 한껏 위로 올려 얼굴을 가린다)
맨날 집에서 잠만 자서 그렇지…

남자

아, 그럼 내일 마저 얘기할까요?

희지

뭘 마저 해요?

남자

그럼 사귀는 거다.

희지

안 사귄다고 싫다고.

남자

남편 없구나?

희지
…

수작을 거는 듯 고도의 위협이다.

8
희지의 집(오후)

현관문 틈으로 빨간 편지봉투가 비집고 들어온다. 희지, 보면 발신자, '406호' 바로 옆에 다른 글씨체로 '306호'라고 쓰였다. 큰 별표와 함께 "꼭 부탁드립니다! 정말 정말 죄송합니다!!!" 편지를 꺼낸다.

남자 목소리
406호 주민께.
2016년 3월부터 현재까지 고통과 불편함의 원인을 제공한 사람입니다. 저는 하루에 18시간 이상을 컴퓨터 앞에서 일하는 사람입니다. 증권과 파생상품 관련 일을 하는 사람으로서 세상에서 내 맘대로 할 수 있는 유일한 것이 담배라서 끊고 싶어도 끊지 못하고 오늘에 이르고 말았습니다. 이제는 진짜 담배를 끊겠습니다.
정말 죄송합니다.
혹시 냄새가 또 올라오면 카톡이나 문자를 주세요.
전화번호: 010-298-*****

추신: 아 참, 406호에 성능이 좋은 오디오가 있나 봅니다. 그동안 천정이 울리기도 했습니다.

9
희지의 집 / 욕실(오후)

테이핑 된 환기구. 희지, 환기구의 테이프를 속 시원하게 다 떼어낸다.

희지 목소리
너그러이 이해해주셔서 정말 고맙습니다. 잘 부탁드립니다 — 406호

문자 전송 소리. 시원한 바람. 자연의 소리, 선행.

10
희지의 집 / 거실(오후 / 해 질 녘 / 밤)

오후. 활짝 열린 창문. 바람에 흔들리는 풍경. 희지, 초록 잎들에 시선을 멈추고 멍 때린다. 보면, 녹음기에서 재생되는 자연의 소리. 산새 소리, 벌레 우는 소리, 물소리… 주변의 소리가 아득히 멀어진다. 차분해지는 시간을 깨고 문 밖에서 발자국 소리, 희지의 집 앞에서 멈춘다. 깨굴 문자 도착 소리.

남자 목소리

어떻게 견디실 만하신지요?
(다시 깨굴 문자 도착 소리)
저는 지금 나갑니다. 밤 10시쯤 들어올 예정입니다. — 306호

발자국 소리, 멀어진다.

해 질 녘. 희지, 부엌 찬장을 연다. 그릇들 너머에서 초를 꺼낸다. 그 안에 빈 재떨이가 보인다. 희지, 초에 불을 붙인다. 백팔 배를 한다.

밤. 환기구. 요란한 바람소리. 공기청정기 빨간 불로 바뀐다. 흔들리는 촛불. 흔들리는 커튼. 어두운 복도를 천천히 들어가는 카메라. 저벅저벅 복도 밖에서부터 들려오는 발자국 소리. 깨굴 문자 도착 소리.

남자 목소리

저는 이제 집에 들어왔어요. 오늘은 담배를 안 샀어요.
금연에 도전해보겠습니다. — 306호

발자국 소리, 점점 가까워진다 싶더니 벌컥 어둠을 열고 희지가 나온다. 희지, 뭔가를 찾는 듯. 다시 어둠 속으로 들어간다. 다시 어둠을 열고 희지의 뒷모습. 침실이다.

희지

지우야!! 지우야?!

희지, 다시 어둠 속으로 사라진다. 다시 어둠이 열리고 지우 방. 딸을 찾는 희지.

희지

지우야?! 김지우??

냉장고에 붙여놓은 전단지. ‹온 하늘이 붉어지는 날, 지구는 멸망하는데 그 날이 이미 도래했다›는 내용. ‹진실을 알고 싶다면 "달라쿰사마셋디마니옴바나" 하단의 전화번호›.

희지 목소리

어머나 어떡해요 선생님, 우리 지우가 아직 안 들어왔어요!
우리 애한테 무슨 일 생겼어요, 선생님??

선생님 1 목소리

(잠결에 가라앉은 목소리)
지우 여기서 자고 있어요, 어머님.

선생님 2 목소리

그냥 없다 그래. 어차피 좀 있으면 지구 멸망해.

희지

여보세요?

선생님 1 목소리

애가 오늘따라 하루 종일 잠만 자네요. 공기 때문에 그런가…
아시잖아요… 잘못하면 큰일 나는 거…

현관문 열리는 소리. 짝짝 마룻바닥에서 떨어지는 맨발 소리. 소파에서 잠든 희지. 푸른 숲을 천천히 지나는 카메라. 검은 옷을 입은 꼬마 소녀의 뒷모습이 보일라 치면 깨굴! 소리. 희지, 눈을 뜬다. 깨굴! 남자의 입술. 깨굴! 잠든 희지 얼굴 위에 남자 얼굴. 희지, 벌떡 일어난다. 깨굴! 문자 도착한다.

11
희지의 집(이른 아침)

백팔 배를 하다가 잠든 희지. 깨굴! 문자 도착 소리에 잠에서 깬다.

남자 목소리

좀 있다가 나가면 해 지기 전에 들어옵니다.
(깨굴 문자 도착 소리)
혹시 청포도 좋아하십니까? 집에 한 박스 있는데… — 306호

희지, 핸드폰 통화한다.

희지

선생님… 우리 지우 일어났어요?

남자 목소리

여보…

희지, 벌떡 일어나 밖으로 나가면서 통화를 이어간다.

희지

… 우리 지우… 거기 있는 거 맞는 거죠, 선생님?

남자 목소리

여보…

12
306호 아파트 복도(이른 아침)

희지, 통화하면서 빠른 걸음을 걷는다.

남자 목소리

여보… 우리 지우… 죽었잖아…

희지

… 선생님… 우리 지우 목소리 좀 들려주세요…

쾅! 쾅! 쾅! 요란하게 문 두드리는 소리 선행.

13
306호 앞(이른 아침)

희지, 306호 현관문을 요란하게 두드린다.

희지

안녕하세요, 406혼데요!

여자 목소리

어머나! 잠시 만요!

문이 먼저 열린다. 발밑에 청개구리 한 마리. 306호 집 안에서 튀어나온 듯. 집 안에서 청포도 상자를 들고 성큼성큼 여자가 나온다.

여자

솔직히 말해 봐요.
어제 내가 집에 없을 때 담배 냄새 안 났죠?
(306호 여자, 희지다. 희지, 얼어붙는다)
내가 얼마나 철저하게 피우는데요.
공기청정기 세 대나 갖다 놓고…
(여자, 기침이 터져 나온다. 숨 넘어갈 기세)

희지, 여자에게 떠밀려 뒤로 밀려나며 그만 바닥에 청개구리를 발로 빠지직-. 화면 꺼진다. 촥! 촥! 테이핑 소리.

14

희지의 집 / 욕실(이른 아침)

희지, 욕실 환기구를 다시 테이핑 한다. 강박적으로 박박.

15

희지의 집 / 거실(이른 아침)

손가락 사이엔 다 태운 담배꽁초. 공기청정기들 안에 쭈그려 앉은 희지. 머릿속이 복잡하다. 연기 뿌연 거실. 재떨이엔 담배꽁초들. 희지, 빈 담뱃갑을 구긴다. 이때, 쿵! 쿵! 쿵! 윗집에서 바닥을 치는 소리! 희지, ?! 천정을 올려다본다.

인서트. 406호 바닥을 구르는 희지. 이때, 쾅! 콰쾅! 현관문 두드리는 소리.

인서트. 306호 문 두드리는 희지. 느닷없이 방문을 열리더니,

남자

내가 나갈게, 여보.

보면 내복 바지에 가운을 입은 아랫집 남자. 희지, ?!! 갑자기 사레들린 기침이 터져 나온다.

희지 목소리

안녕하세요, 406호 주민인데요! 저 좀 살려주세요!

희지, 공포에 휩싸인다.

16
희지의 집 복도(이른 아침)

문을 두드리는 희지 한 명. 문을 두드리는 희지 두 명. 문을 두드리는 희지 여섯 명. 문을 두드리는 희지 열여덟 명.

끝

미쓰 홍당무 각본집

초판 1쇄 발행
2020년 9월 8일
3쇄 발행
2024년 3월 4일

글쓴이
이경미 박은교 박찬욱

펴낸이
백준오

편집
임유청

교정
이보람

표지 일러스트
서수연

디자인 / 손글씨
유연주

인쇄
프린피아

도움 주신 분들
박찬욱 황진하 이다혜 김선용
정애경 정유선 김미연 황영주

펴낸곳
플레인아카이브

출판등록
2017년 3월 30일
제406-2017-000039호

주소
경기도 파주시 회동길 337-16,
302호 (10881)

www.plainarchive.co.kr
cs@plainarchive.com

19,000원
ISBN 979-11-90738-05-7 (03680)